... et puis
je suis parti
d'Oran

Castor Poche
Collection animée par
François Faucher, Martine Lang et Soazig Le Bail

A ma mère, à mon père, à ma femme.

Une production de l'Atelier du Père Castor

LUCIEN GUY TOUATI

... et puis je suis parti d'Oran

Castor Poche Flammarion

Lucien Guy Touati, l'auteur, est né en 1947, à Oran, en Algérie, où il passe toute son enfance et son adolescence avant de gagner la France en 1962. Après des études de littérature et de sociologie, Lucien Guy se spécialise en littérature pour la jeunesse. Il anime des ateliers de lecture, gère une librairie, organise de nombreux débats et conférences autour de la littérature enfantine...

Et puis je suis parti d'Oran est son premier livre. Publié en 1976, il est remarqué par la critique et obtient le prix Jean Macé.

« Au bout de douze années de vie en France (1962-1974), j'ai commencé à m'interroger, devenu adulte, sur mon pays natal et sur ce qu'avait été cette guerre d'Algérie. J'ai éprouvé le besoin, comme pour régler des comptes avec moi-même et mon enfance, de faire appel à mes souvenirs et de raconter ces fameux événements vus par un adolescent de quatorze ans. J'ai essayé alors de reconstruire ce climat un peu flou dans lequel nous vivions et de montrer que les choses ne sont jamais simples et aussi qu'elles sont rarement blanches ou noires mais plus souvent blanches *et* noires. »

Lucien Guy a écrit plusieurs ouvrages avec sa femme Claude-Rose. Aujourd'hui, ils sont tous deux représentants en éditions auprès des libraires et habitent avec leurs deux enfants dans un village de Dordogne.

Dans Castor Poche :
La fièvre du mercredi, n° 107

Christian Broutin, l'illustrateur de la couverture, est né le 5 mars 1933, par un curieux hasard, dans la cathédrale de Chartres... Élevé par un grand-père collectionneur et bibliophile averti, Christian découvre très tôt le dessin en copiant Grandville et Gustave Doré. Après des études classiques, il est élève à l'École normale des Métiers d'art et sort premier de sa promotion en 1952.

Christian Broutin est l'auteur d'une centaine d'affiches de films ainsi que de nombreuses couvertures de livres chez différents éditeurs. En 1975, il réalise à partir de ses dessins, un film court métrage qui obtient le prix Jean Vigo, sélectionné au Festival de Cannes.

Depuis 1976, Christian Broutin travaille également pour l'Angleterre, le Danemark, l'Allemagne, la Belgique, la Hollande, la Suède.

... Et puis je suis parti d'Oran :

Oran, septembre 1961. Au lycée Lamoricière, Lucien commence une nouvelle année scolaire semblable aux autres. Une vie de lycéen de troisième... Pourtant autour de lui, depuis sept ans, sévit une guerre qu'on appelle la guerre d'Algérie. Mais pour lui, cette guerre n'est qu'une toile de fond tissée loin derrière : elle n'empêche pas ses rêves, ses amitiés, ses doutes et ses pensées d'adolescent.

Mais, brutalement, un matin gris de mars 1962, Lucien se retrouve sur le pont d'un bateau qui l'emmène vers la France. Autour de lui, sa mère, ses frères et sœurs et des valises... Pourquoi ce départ précipité ?

En six mois que s'est-il passé ? Pourquoi Lucien jette-t-il sur la vie, sur les gens et les choses un regard différent ?

Ce texte, bien qu'il soit en grande partie autobiographique, reste, comme toute tentative romanesque, une œuvre d'imagination.
De ce fait, il n'engage que l'auteur.

LUCIEN GUY TOUATI

Préface

Oran, vous la connaissez déjà, au moins par les ouvrages d'Albert Camus, La Peste et L'Été, ville de rues pierreuses, de falaises, de collines sèches, flanquées de lourdes forteresses, vestiges de l'occupation espagnole entre les XVIe et XVIIIe siècles. « Cette cité sans pittoresque, sans végétation et sans âme, écrit Camus, finit par sembler reposante et on s'y endort enfin. »

Terrible sera le réveil ! Et c'est là, précisément, tout le sujet du récit qu'on va lire.

Au passage, signalons qu'Albert Camus n'est pas le seul écrivain qui ait décrit Oran, et sans remonter à Cervantès qui, en 1581, y séjourna et en rapporta le thème de sa comédie L'Espagnol courageux, *il nous faudrait citer ici une liste nombreuse d'auteurs, autochtones ou* non, qui se sont inspirés de ce décor et aussi de cette vie oranaise, plus secrète et plus passionnée que Camus, étranger à la ville, n'a pu le déceler.

Cette liste d'écrivains, il convient donc de la compléter aujourd'hui avec le nom de Lucien Touati, mon jeune concitoyen, mais, lui, d'origine judéo-berbère, c'est-à-dire d'un enracinement très profond en terre maghrébine, ce qui, d'une certaine manière, ajoute encore à son drame.

Ce qu'il nous raconte ? Exactement la fin de cette « préfecture française de la côte algérienne », selon la définition d'Oran que nous donne Camus au premier paragraphe de La Peste. Et ce changement s'opère, on le sait, dans le long et impitoyable affrontement de deux communautés.

Tout au long de ces pages nous allons suivre un adolescent de quatorze ans, dépourvu par éducation et par nature de toute inclination à la violence et à la haine et qui, désemparé, découvre leur montée comme une furieuse marée noire.

Nous allons le suivre au sein de sa famille, en classe, à travers les rues, dans ce climat tragique où l'on se bat pour une justice et un espoir qui, dans l'un et l'autre camp, n'ont pas le même visage. Et pour lui, toutes les valeurs morales qui avaient jusqu'ici nourri son cœur et son esprit se désaccordent peu à peu. Un jour il assiste à une scène atroce : un jeune Algérien s'est engagé dans le centre européen de la ville. Un Français se détache d'une file d'attente, sort un pistolet et froidement le tue d'une balle dans la tête. Quelque temps plus tard, c'est le propre père de l'auteur qui est victime d'un attentat identique par un terroriste arabe.

Par là, on l'a déjà compris, ce récit peut se concevoir comme un document sur un aspect de la guerre d'Algérie, comme un témoignage, limité à l'expérience individuelle, sur ce qu'a été la fin de notre tutelle dans une grande ville coloniale. Cependant il faut y voir également — ou surtout — la confession bouleversante d'un jeune garçon sensible et confiant, à peine dégagé de l'enfance, qui va entrer dans sa vie d'homme non par un arc de lumière mais par une porte criblée de balles et maculée de sang.

EMMANUEL ROBLÈS,
de l'Académie Goncourt.

Mars 1962.

QU'EST-CE que je fais ici ? Je suis en France. Comme un Français, comme des millions de Français. J'habite maintenant ce pays qui va devenir le mien. Et il faut bien qu'il soit le mien même si je n'y suis pas né, même si je n'y ai pas vécu, puisque je ne peux plus aller en arrière. Tout est étrange. Et en plus il fait un froid auquel je ne suis pas habitué. Je suis parti d'Oran.

Depuis quinze jours, en classe de troisième au lycée Saint-Louis dans le quartier nord de Marseille, je suis pensionnaire — dans cet énorme lycée mixte où je ne connais personne. Mais je n'ai pas encore envie de faire la connaissance de jeunes Français comme « moi ». Je vis toujours avec une Algérie brûlante, ma terre natale, la seule que j'aie vraiment sentie mienne et où, par la force des choses, j'avais l'impression de ne pas être ailleurs. Ici, j'ai beau savoir que je suis en France, Français à part entière et semblable aux milliers de lycéens de ce pays, je ne peux pas oublier qu'il y a à peine quatre semaines j'étais dans un autre lycée, dans un autre pays — un élève de troisième classique au lycée Lamoricière d'Oran. Mais comment aurait-il pu en être autrement ? Il fallait que cela se fit.

Apprendre à quatorze ans qu'on quitte un pays pour toujours et pour un autre qu'on connaît si peu et savoir que ce départ est définitif ! La France, pour ceux qui vivent en Algérie, c'est la métropole, bien sûr, mais c'est en même temps un pays étranger. Beaucoup trop de choses sont différentes. Je ne peux m'habituer ainsi, soudainement, à toutes ces différences. Aussi facilement que je m'habitue à un nouveau cartable, à une nouvelle chemise ou même à un nouvel ami.

Je suis un petit pied-noir, un pied-noir, un Français d'Algérie. On nous appelle comme ça, je n'ai jamais su pourquoi. J'ai vainement cherché une explication dans un dictionnaire, le mot n'y est pas encore inscrit. Et, de

Français d'Algérie, il faut que je devienne un Français tout court. Combien d'années faudra-t-il ? Combien de temps pour oublier l'Algérie — l'oublierai-je jamais ? —, combien de temps pour ne plus regretter des coins de rue, des lieux, des gestes et des paroles qu'on connaît au plus profond de soi-même ?

Pour moi, je n'ai pas trop d'inquiétude. Ce tournant, je sens que je le prends assez tôt pour qu'il n'ait pas de conséquences néfastes sur ma vie future. Mes frères et mes sœurs sont sans doute dans le même état d'esprit, mais je n'en dirai pas autant de mes parents. Pour l'instant, je ne crois pas qu'ils se posent beaucoup de questions, écrasés qu'ils sont par une masse de problèmes à résoudre, étourdis par tous ces chocs successifs. Ils ont loué un appartement à Toulon. Pourquoi cette ville, pourquoi pas Lyon ou Nantes ou Paris ? Le besoin de se resserrer et d'essayer, dans cette espèce de débâcle, de ne pas trop se disperser, les pousse à se raccrocher à de petits détails : à Toulon il y a la mer, un port et des bateaux, l'Algérie semble moins loin. Une cousine de ma mère, mariée depuis quinze ans à un quartier-maître normand, y habite, et sans doute l'aidera-t-elle dans ses démarches.

Nous avons quitté Oran le 3 mars 1962 par le paquebot *Kairouan*. Dans la fiévreuse activité qui possédait tout le port, seule la prodigieuse machine, amarrée au quai, paraissait calme et paisible. Maurice, notre frère aîné, nous accompagnait, gêné comme on peut l'être dans les instants de départ, mais en plus plein d'une lourde inquiétude, car lui ne partait pas. Il avait obtenu de mes parents de rester jusqu'au mois de juillet pour pouvoir passer ses examens de médecine. Il faisait sa première année et craignait de ne pouvoir se réinscrire en France. Il avait eu un argument de taille : il fallait bien quelqu'un pour envoyer nos meubles en France dès que cela serait possible ! Sur le quai, Papa avait l'air vaguement ailleurs, comme si le départ ne le concernait pas vraiment. Je crois que tous les médicaments qu'il prend depuis la catastrophe y sont pour quelque chose. Ses cheveux ont à peine repoussé. Il avait mis un vieux chapeau.

Ma mère m'avait plus ou moins confié la responsabilité de mes deux jeunes frères et de mes deux sœurs. Je devais essayer de les maintenir autour de nous tout en surveillant nos valises et nos malles sur le point d'être chargées dans la cale du bateau. Et ce n'était pas facile avec Armand qui sans cesse cherchait à s'approcher de l'eau. Le ciel était légèrement couvert mais restait lumineux comme pour tenter de mettre un peu de gaieté dans ces heures confuses que nous vivions. Par chance, en cette minute, le sens et le pourquoi de notre départ nous échappaient, à tous.

Deux heures après, nous étions répartis en deux cabines du premier pont. Nous avions déjà tous les cinq couru dans toutes les directions, visité tous les étages et fait plusieurs fois le tour de l'immense cheminée blanche et noire. Les petits « tutt tutt » secs et nerveux qu'elle lançait régulièrement annonçaient l'imminence du départ. La mer commençait à se couvrir lorsque deux petits remorqueurs s'approchèrent. Malgré leur taille, ils nous tirèrent gaillardement hors du port. J'étais alors seul à l'arrière du paquebot et regardais les remous blancs de la gigantesque hélice qui hachait la mer. Les bribes d'écume s'effilaient de plus en plus vite et quand elles dépassèrent la dernière digue, celle où l'on pouvait lire encore peint en rouge *Ici la France*, ce fut mon dernier regard à la ville de mon enfance.

Entre Oran et Marseille, il y a près de mille kilomètres de Méditerranée; le *Kairouan* les parcourt en vingt-six heures sans effort, d'une allure égale, majestueuse et sereine. Le voyage en bateau, comme tout ce qui arrive peu souvent, passe très vite et ne dure que le temps de deux repas et d'une nuit. Seules les manœuvres de sortie et d'entrée dans les ports paraissent interminablement longues. Comme chaque fois que nous allions en France, tous les deux ans, passer un mois d'été, nous nous amusions follement à courir dans ce bateau sans fin. Nous ne cessions de jouer à cache-cache dans les cordages, de monter et descendre tous les escaliers et les échelles qui parcouraient les ponts, de visiter les couloirs de cabines, les salons moelleux, les bars, les impressionnantes cales, les salles à manger guindées et parfois, lors-qu'on nous le permettait, la fantastique salle des machines.

Sur un bateau, la distraction n'est pas la mer, d'où très rarement émergent des mar-souins bleutés, flèches vivantes plongeant tellement vite que c'est toujours trop tard et qu'on les voit à peine. La distraction, la seule réelle, c'est le bateau lui-même, avec ses centaines de hublots, ses écoutilles en forme de grosses nouilles, ses larges canots de sauvetage arrimés sur le dernier pont, son chenil où gémissent de pauvres bêtes abandonnées pour toute la traversée et sa cuisine incroyable au personnel superbement stylé — petite clochette dans les couloirs, le garçon passe et repasse : « Premier service. » Et dans certains paquebots, plus luxueux, c'est aussi la salle de cinéma où l'on projette de vieux Charlot et la bibliothèque où l'on se dispute les *Tintin* et autres albums. Tout cela constituait pour nous un jeu intense, une activité permanente dont nous ne nous lassions pas et qui avait l'avantage de nous empêcher d'avoir le mal de mer.

Cette fois encore, dès que nous avions mis le pied sur le pont, cette immense curiosité nous était revenue et le jeu avait recommencé, éloignant tristesse et amertume, nous faisant oublier que ce voyage-là, pourtant si semblable aux autres, était chargé d'une signification particulière.

L'arrivée dans le port de Marseille s'était faite le lendemain à treize heures. Les installations portuaires se ressemblent toutes et les formalités de débarquement sont toujours insupportables pour des enfants impatients de retrouver la terre ferme. Nous étions entrés depuis deux heures du matin dans le golfe du Lion et déjà nous étions prêts, appuyés sur le bastingage, scrutant fixement l'horizon. Nous aperçûmes enfin la côte qui très lentement se colora devant nous, bleue puis marron foncé, puis s'éclaircissant de taches d'immeubles blancs plantés sur les collines. Nous reconnaissions l'île sombre du château d'If et Notre-Dame-de-la-Garde qui domine toute la ville. Mais l'atmosphère de ce port que je n'avais jamais vu au mois de mars était une nouveauté maussade. Les embarcadères et les quais humides et froids étaient parcourus par des bourrasques de mistral et de pluie. Ville rutilante qu'on associe toujours au mot magique de soleil, Marseille, que tu es triste ! Je me sens mal à l'aise chez toi. Pourtant tu ressembles un peu à ma ville, mais ta légende de gaieté et de chansons me paraissait complètement usurpée en cette matinée mouillée et venteuse et ton accueil donne des frissons.

Nous descendîmes la passerelle et des porteurs vinrent vers nous. Leur accent chantant résonnait vide comme la pluie et j'avais froid. Que j'avais froid ! Avec une chemise légère et une veste en flanelle ! Dans ce monde sévère et gris, il faut agir. Reconstruire et se réchauffer pour ne plus grelotter et perdre ce sentiment de malaise, de « pas à notre place », de marchandise en transit.

Heureusement, tout se passa très vite. Dans la journée, mes parents trouvèrent sur la corniche une grande pension de famille où on nous réserva un petit appartement de deux pièces. Nous nous y sommes installés sobrement. Mon père, fatigué par le voyage — il ne supportait pas le roulis — et quelque peu effrayé par ce climat inconnu — il n'était allé en France que trois ou quatre fois, et encore cela se passait en juillet, sous le soleil et dans une atmosphère de vacances —, ne cessait de passer d'une pièce à l'autre sans se décider à ôter son imperméable gris. Mais ma mère, qui ne se sent bien qu'active et rapide, partit à l'assaut des difficultés qui nous attendaient et réussit à régler les premiers problèmes.

En moins d'une semaine, nous sommes inscrits dans des lycées de Marseille. C'est d'abord le tour de mes sœurs, qu'elle arrive à placer comme pensionnaires au lycée Marseilleveyre, situé dans la banlieue est de Marseille. Construit sur une colline de pins, il surplombe la mer. On dit que c'est un lycée pilote, les cours y sont facultatifs ! pas de notes et pas d'heures de colle ! Évidemment, mes sœurs ont été ravies. Ensuite, c'est moi, que le lycée Saint-Louis accepte de prendre, mais naturellement je n'ai pas autant de chance ! C'est un établissement tout ce qu'il y a de plus classique, avec « surgés », pions, heures de retenues et notes trimestrielles. Pourtant un changement pour moi : le lycée est mixte; pour la première fois, je vais rencontrer des filles ailleurs que dans la rue ou en surprises-parties.

Pour ma mère, ça n'a pas été très drôle : pour chaque enfant il a fallu qu'elle prenne rendez-vous avec le chef du « bahut » et qu'elle parlemente longtemps en employant à plusieurs reprises les mots « rapatriés d'Algérie »; ces mots qui vont maintenant déferler sur la France avec une bizarre consonance pour les autochtones, un peu synonyme d'ennuis, d'encombrements. Elle a dû expliquer que c'est bien malgré elle qu'elle demande pour moi une place d'interne, elle ne peut pas faire autrement.

— Nous n'avons pas encore trouvé de logement fixe, mon mari a besoin de beaucoup de repos et... nous devons tout reprendre à zéro.

A chaque fois, il a fallu tout raconter à

propos de mon père, montrer les certificats médicaux, les articles de journaux, les photos, expliquer la situation.

Toutes ces démarches l'embarrassent, mais une chose l'aide à formuler ses demandes, elle n'hésite pas à présenter nos livrets scolaires : ses enfants sont tous de bons élèves, ça c'est sa grande fierté.

En très peu de temps, elle nous confectionne des trousseaux de pensionnaires et passe des soirées à marquer notre linge tandis que dans la journée elle court acheter tout ce qu'il manque, et il manque toujours quelque chose pour trois enfants qui ne verront plus leurs parents qu'une fois par mois. Mes deux jeunes frères, Gérard et Armand, resteront avec les parents; l'un est en sixième, l'autre au cours moyen. Même s'il était possible de les mettre en pension, mon père et ma mère ne s'y résoudraient pas. Séparés de toute leur progéniture, ils auraient encore plus froid.

Peut-être parce qu'elle n'a pas le temps de nous surveiller tous, ma mère m'autorise à me promener dans Marseille. Elle sait que j'aime me débrouiller seul. Bientôt j'aurai la vie d'un pensionnaire et ne sortirai même pas tous les dimanches. Aussi me laisse-t-elle profiter de ces dernières journées de liberté. Et puis, ici, la guerre est loin, à plus de mille kilomètres, je ne risque plus d'être pris au milieu d'une émeute ni d'être abattu par un terroriste.

— Toi, me disait-elle souvent, avec ta grande taille, j'ai peur qu'un jour on ne te prenne pour un adulte et qu'on ne te tire dessus.

Alors je profite de ces quelques jours de vacances improvisées et chaque après-midi je fais de longues balades dans cette ville inconnue. Je marche et je descends la corniche vers le centre, je regarde comme si j'étais à l'étranger. Les gens, les vitrines, les cafés où j'entre parfois faire une partie de billard électrique, les filles aussi, comme si le fait d'habiter en France leur donnait quelque chose de plus qu'à celles que je voyais en Algérie, tout me semble exotique.

Je ne parle à personne, je lis beaucoup et j'essaie de réfléchir à la nouvelle vie qui m'attend. Je n'ai pas trouvé les cigarettes Bastos que je fumais à Oran, alors je m'initie un peu à la Gauloise et aux P 4, encore moins chères.

Avec ma mère, nous allons dans plusieurs librairies de Marseille pour trouver des livres d'occasion. Il faut réduire les dépenses scolaires.

Je suis prêt. Demain nous prendrons un taxi jusqu'au lycée Saint-Louis et je ferai connaissance avec ma nouvelle vie d'interne, je verrai de nouveaux visages. J'espère que l'ambiance y sera supportable, car j'y resterai même pendant les vacances de Pâques. Ma mère m'écrira et me fera venir une fin de semaine à Toulon dès qu'ils auront aménagé l'appartement.

Au fond, je ne suis pas triste — pas joyeux non plus. Cette situation est trop nouvelle pour que je réagisse. Elle m'étourdit, elle a repoussé le cadre où j'ai toujours vécu. Pourtant il faut que j'essaie de comprendre. La vie va trop vite, mais je dois prendre le temps de revoir ce qui est arrivé. Trop de choses se sont passées en très peu de temps et je ne veux pas oublier. Et, quand j'y pense, je me dis que cette année scolaire à Oran avait commencé comme les autres...

Oran

Chapitre premier

UNE forte explosion a ébranlé l'atmosphère matinale :

— Lucien, fais vite, Wilfred est en bas, il
t'attend.

C'est ma mère qui crie ainsi depuis sa
cuisine. Elle vient de rentrer des courses et
elle rapporte des tas de kilos de fruits, de
viande et de légumes du marché. Ses enfants,
se plaît-elle à répéter, mangent comme des
ogres.

— J'arrive !

Je suis dans ma chambre en train de
rassembler mes livres scolaires de l'année
dernière et je n'arrive pas à retrouver mon
bouquin de géo. Ils me paraissent bien ternes
après les trois mois de soleil que j'ai passés

sans eux, les vacances me les ont rendus étrangers et je vais les vendre sans regret. Je pense plutôt à ceux de la classe de troisième.

Je crie encore plus fort pour que personne ne s'impatiente :

– Deux minutes, j'arrive tout de suite !

J'ignore si cela tient au fait que nous sommes nombreux ou si c'est le pays qui veut ça, mais chez moi on ne parle pas, on crie.

Ce matin commence la traditionnelle bourse aux livres qui se déroule pendant quinze jours sous les palmiers de la place de la grande poste d'Oran, à cinq cents mètres du lycée et à deux pas de la librairie Guéraud. Dès que les listes des classes sont connues, les parents ont l'habitude d'aller avec leurs enfants vendre en occasion les manuels scolaires de l'année précédente et acheter ceux de l'année suivante. Une atmosphère de vacances entoure ces échanges et pour Wilfred et moi c'est un jeu passionnant, le dernier jeu de l'été.

Je finis de remplir mon sac et je descends les escaliers quatre à quatre. Depuis deux ans, nous habitons rue Lapasset dans un des immeubles de la cité Lescure, un ensemble de cubes de béton. Nous sommes au quatrième et dernier étage. Pour la première fois, nous avons un appartement confortable et, événement capital, il comporte une salle de bains avec une baignoire-sabot ! Avant, nous habitions un très vieil appartement dans un autre quartier près de la caserne militaire. Chaque semaine, nous devions, mes frères, mon père et moi, aller au bain maure. Ce cérémonial nous a longtemps amusés. Préparer dans une grande valise les vêtements propres, les shampooings, les savonnettes et les sorties de bain constituait le premier stade de l'opération. Et la longue étuve du bain était régulièrement suivie d'un rinçage à l'eau glacée. Après, dans la salle commune de l'établissement arabe, mon père nous imposait une demi-heure de repos. Allongés, muets et humides, sur le drap blanc d'un lit aussi dur que du bois, nous nous ressaisissions lentement avant de boire une grande limonade qui nous givrait les lèvres. Ensuite, nous nous rhabillions avec des gestes tout neufs.

Maintenant nous nous contentons d'une douche rapide et, séduits par le progrès, nous oublions notre folkore. Sauf ma mère, qui regrette toujours de ne plus pouvoir griller tomates et poivrons sur son « canoune ». Ce petit fourneau de terre glaise, que l'on remplit de charbon de bois enflammé par une goutte de pétrole, n'a pas trouvé de place dans nos quatre pièces de H.L.M.

En bas, je retrouve Wilfred, qui m'explique aussitôt qu'il faut nous dépêcher et qu'il n'a pas l'intention de m'attendre toute la journée. Je n'ai pas le temps de lui répondre que j'entends la voix de ma mère sortie sur le balcon :

– Lucien, en allant au lycée, passe à la mairie dire à ton père de téléphoner à la tante Paulette qu'elle vienne déjeuner dimanche. Qu'il y a longtemps qu'on ne l'a pas vue !

– Mais nous n'aurons jamais le temps !

Je crie, un peu furieux mais sachant d'avance que nous ne pourrons pas éviter ce détour. D'ailleurs, Wilfred, qui, lui aussi, a senti au ton de ma mère qu'il n'y a pas de rémission possible, me conseille à l'oreille :

– Discute pas, on va perdre encore plus de temps.

– Vous n'aurez qu'à marcher plus vite, ajoute ma mère. Et ne faites pas de bêtises.

« Ne fais pas de bêtises », c'est sa façon de dire au revoir à chacun de ses six enfants.

Wilfred est pressé, il marche devant moi à grands pas. Nous prenons le boulevard Lescure, nous croisons deux véhicules de l'armée, un camion plein de soldats en armes et une jeep qui transporte à l'arrière deux civils blessés. Cela doit correspondre à l'explosion que nous avons entendue tout à l'heure.

Wilfred me raconte ses vacances. Il est allé pendant un mois à Grenoble, chez son oncle, qui dirige une auto-école. Un dimanche, il l'a emmené conduire sur une route de montagne. Wilfred commence à me décrire tous les virages qu'il a pris. Je l'arrête :
– Moi aussi, j'ai été en vacances !
Et je raconte ce que j'ai fait comme aide-moniteur dans une colonie de vacances, mais il ne m'écoute pas beaucoup. Il pense à la suite de ce qu'il a commencé à me dire, suite que je connais puisqu'il va m'apprendre qu'il a passé le mois d'août à Claire-Fontaine, dans la villa que possèdent ses parents. C'est à quinze kilomètres d'Oran, près du port militaire de Mers-el-Kébir.
Je le sais, car chaque année c'est pareil depuis trois ans que nous nous connaissons.

Wilfred et moi, nous sommes amis depuis la sixième. Nous avions découvert que nous avions la même façon de rire des choses et des gens et tous les ans nous nous retrouvons dans la même classe, complices à la même table et partageant les mêmes plaisanteries. Et si, pour nos professeurs, nous ne sommes pas vraiment de mauvais élèves, nous sommes certainement deux drôles qui prennent rarement les choses au sérieux. Wilfred s'appelle en fait William-Alfred et il a trouvé très original de contracter ses deux prénoms en un seul. Je lui ai dit que c'était ridicule, mais il y tient. Il est plus mince que moi, ce qui n'est pas difficile vu que je suis plutôt un peu gros. Il m'appelle « l'enrobé » et moi je le traite de « Sloughi* ». Et nous nous entendons très bien.

Chaque nouvelle rentrée scolaire nous apporte cette joie du renouveau, d'un nouveau pas franchi et d'un épanouissement plus fort. Nous grandissons tout en étant encore à l'âge où les drames n'existent pas ou, s'ils existent, ne nous touchent pas. Pourtant, une petite ombre subsiste, comme un léger pincement au cœur quand nous y pensons : la guerre. Ce mot brutal qui vit au

* Sloughi : lévrier d'Afrique du Nord long et maigre.

cinéma, dans les romans ou dans les chansons. La guerre dans laquelle nous sommes installés depuis sept ans et qui, nous le sentons confusément, approche de son achèvement. Nous avons vécu, Wilfred et moi, une grande partie de notre enfance sous un ciel d'attentats et dans un climat tendu. Nous étions de jeunes enfants innocents quand tout a commencé et vivions dans l'inconscience ou l'insouciance propre à notre âge. Mais depuis quelques années, et chaque année encore un peu plus, ces choses dures et violentes des hommes se dressent vers nous, se présentent à nos regards, à nos consciences à peine éveillées. En cet instant, mon ami a peut-être les mêmes pensées que moi. Je l'observe, il reste muet, l'air soucieux; je ne l'ai jamais vu aussi grave. J'aimerais mieux le voir sourire.

– Qu'avez-vous, mon général, seriez-vous à l'aube d'une grande décision susceptible de régler le conflit d'Algérie ?

Mon allusion au général de Gaulle tombe platement.

– Ne rigole pas, réplique-t-il. Tu ne crois pas si bien dire. Allez, dépêchons-nous. Il faudra que je te parle tout à l'heure, j'ai quelque chose d'important à t'annoncer.

Je veux lui demander de quoi il s'agit,

mais devant son regard absent je n'insiste pas. D'ailleurs nous sommes arrivés aux pieds des deux gigantesques lions de bronze qui gardent les marches de la mairie d'Oran.

*
**

Nous nous dirigeons vers les services de l'état civil où se trouve le bureau de mon père. On lit sur sa porte : *Monsieur Claude Touati, Chef de Bureau État Civil.* Il occupe ce poste depuis vingt ans. D'abord il était rédacteur. J'ai souvent entendu le mot sans savoir en quoi consistait l'emploi. Mon père est rédacteur, un rédacteur rédige. Bien. Maintenant il est chef de bureau. Ça, j'ai compris, il dirige un service, celui des naissances et des décès qu'on vient faire enregistrer à la mairie. Il a cinquante-six employés, répartis à plusieurs guichets. L'un d'entre eux m'a toujours fasciné : l'appariteur. Fonction inquiétante, prestigieuse et pleine de mystère : c'est l'homme qui apparaît ! Je me revois quand j'étais plus petit dans le bureau de mon père, étalé dans le fauteuil dans lequel il fait asseoir ses visiteurs. Je lui dis : « Papa, appelle l'appariteur, s'il te plaît. » Pour une fois, son air sévère s'efface, ça l'amuse, il appuie sur un bouton caché sous son bureau. Une sonnette doit retentir quelque part, là où se cache l'appariteur; je ne l'entends pas malgré mon oreille tendue, mais je l'imagine très bien. L'appariteur arrive, un vieil Arabe très digne avec des cheveux blancs, vêtu d'un costume officiel. Il a frappé à la porte. Il s'approche du bureau et se tient très droit, presque au garde-à-vous. Mon père lui confie un quelconque papier à transmettre dans un autre service. L'appariteur disparaît. Et j'éclate de rire.

Mon père aurait voulu faire de plus longues études et exercer un métier plus important. Il nous a souvent raconté qu'il n'a pas eu le choix. Quand il eut ses bachots, en 1939, il commença une année de droit mais ne put continuer. La Seconde Guerre mondiale survint, puis la défaite de 1940. Le gouvernement étendit aux universités d'Algérie le *numerus clausus*. Cette loi, qui n'autorisait qu'un nombre très limité d'étudiants juifs à poursuivre leurs études, fut appliquée à Oran. Mon père, qui venait de se marier, fut mobilisé. Il participa à la campagne d'Italie et revint, avec une petite blessure à la jambe et des crises de paludisme, faire carrière dans la fonction publique. A présent, il pense passer chef de division; il nous a expliqué qu'il a déjà l'indice nécessaire et que c'est le plus important pour faire un bon chef de division, mais, comme il n'y a pas de poste libre à la mairie d'Oran, il attend.

Mon père est inscrit à la S.F.I.O. et tout le monde le sait à la maison. Sans deviner ce que les lettres veulent dire, nous savons que c'est un parti de gauche. J'avoue que je ne fais pas encore très bien de distinction entre la gauche et la droite en politique. Malgré tout, je sais que dans mon pays la majorité des Européens, c'est-à-dire les non-Arabes ou non-musulmans, sont de droite, ils méprisent la population arabe et veulent que l'Algérie reste française. Je ne connais pas vraiment la position de mon père. Il souhaiterait bien que l'Algérie reste française, surtout d'un point de vue sentimental et peut-être aussi d'un point de vue religieux, mais ses convictions politiques semblent l'en empêcher. Il nous a dit : « La terre qui nous a vus naître, où nos morts sont enterrés. » Je ne comprends pas ces mots : « nos morts ». Aucun mort ne m'appartient. Décidément, beaucoup de ces problèmes me dépassent, dans toutes ces histoires d'étiquettes et la violence qu'elles entraînent, je n'arrive pas à discerner quelque chose qui soit en rapport avec mon univers quotidien. Je ne sais pas ce qu'est une nationalité. Moi, je suis français, mais l'Algérie ? Il me semble qu'elle est elle-même. Je comprends cent fois mieux mon père quand il nous explique que les Arabes ont autant de droits que nous, quoique j'ignore quels sont ces droits. Mon père, dans son service, ne fait jamais de différence entre les employés arabes et européens qu'il a sous ses ordres.

Et, au fond, je trouve très surprenant, presque prodigieux, que mes parents ne m'aient jamais appris le racisme dans ce monde oranais où l'on appelle un Arabe « bicot » ou « raton » ou encore « bougnoule » et où presque partout et même dans l'enseignement secondaire s'est installée une ségrégation flagrante.

Dans l'école primaire où j'ai appris à lire et à écrire, j'avais des amis arabes. Je me souviens de Moktar chez qui j'allais souvent le jeudi manger du couscous au mouton et qui venait aussi chez moi, où il était reçu par ma mère comme un de ses enfants.

Mais à ce moment-là les deux communautés n'étaient pas encore séparées, ni dressées l'une contre l'autre. Des terrains d'entente

existaient, d'où pouvaient s'élever des rap-
ports normaux. La haine n'était pas apparue,
mais sans doute était-elle là, déjà. Cachée
dans les cœurs, prête à monter, à germer au
fur et à mesure des embuscades dans le bled,
des représailles en ville dans les quartiers
arabes, des attentats à la grenade dans les
marchés, des fusillades sur les plages, des
viols et des meurtres dans les fermes et les
petits villages, des plasticages et des
bombes. Peut-on comprendre une guerre ?
Que se passe-t-il en fait ?

Trois grandes pages sont consacrées dans
L'Écho d'Oran aux attentats de la veille et de
la nuit; elles sont la principale lecture des
habitants de notre ville. Mais, moi, je suis
trop jeune pour admettre qu'il soit devenu
normal d'entendre crépiter des rafales de
mitraillette, que le bleu éclatant de soleil
soit crevé de l'explosion d'une bombe.

Qu'est devenu Moktar ?

Chapitre 2

Nous avons laissé au bureau de mon père le message que nous devions lui transmettre. Il n'était pas là. Arrivés à la place de la poste, nous nous asseyons sur un banc près du marchand de glaces. Il a disposé autour de son petit kiosque de hauts tabourets recouverts de cuir rouge.

Il est dix heures, il fait déjà très chaud mais les nombreux palmiers de la place lui font une ombre rafraîchissante qui nous coupe du chahut de la circulation. La lumière est comme tamisée par les larges palmes et c'est un moment calme sans trop de monde. Quelques vieillards retraités lisent leur journal, leur chapeau sur les genoux, leur vrai regard en eux-mêmes. Les pigeons, avec leur habituel mélange d'audace et de timidité, marchent et volettent de mie de pain en graine de cacahuète.

Je reconnais déjà Jacques Nahon et Paul Fédort traitant des affaires avec d'autres que je n'ai jamais vus. Ils doivent certainement avoir les listes des livres. Peut-être en ont-ils un double ? Wilfred va s'informer tandis que je commence à étaler sur le banc nos différents livres de façon à mieux faire connaissance avec notre stock. J'ai conservé ma grammaire latine, qui me servira cette année encore, mais j'ai tous mes autres bouquins, sauf celui de sciences naturelles qui était bien trop délabré pour être vendu.
Le soleil tourne lentement autour de la place. Vers quatre heures, la foire aux livres bat son plein, les acheteurs et vendeurs, plus nombreux à présent, vont et viennent, forment de petits groupes où se développent de longs marchandages. A deux pas, devant l'entrée de la grande poste, la masse grise d'un car de C.R.S., plus menaçante que rassurante.

A la fin de l'après-midi, Wilfred s'est délesté de la moitié de ses livres; moi, j'en ai vendu huit, mais j'ai aussi fait l'acquisition du livre d'anglais et de celui d'histoire, tous les deux en très bon état. Nous nous retrouvons vers 6 heures devant le kiosque du marchand de glaces. Perchés sur les tabourets, nous bavardons en dégustant tranquillement un « crépon é », sorbet au citron blanc comme de la neige. Wilfred est détendu, il est content des ventes qu'il a faites. Tout à coup, je me rappelle qu'il avait quelque chose d'important à me dire.

– Dis donc, je croyais que tu devais m'annoncer une nouvelle capitale.

Il replonge dans ses pensées. Il hésite un instant, puis, semblant se jeter à l'eau, me déclare d'une seule foulée :

– Je pars dans un mois.

– Tu pars ? Tu plaisantes ? Où ?

– Non, je ne plaisante pas. Tu n'as pas remarqué que je n'ai encore acheté aucun livre pour moi ? Pour trois semaines de classe, je peux m'en passer. Mes parents vont s'installer en France.

– Quoi ? Tu quittes l'Algérie ?

Je n'arrive pas à le croire, à comprendre qu'on puisse se décider aussi rapidement et changer de pays comme cela, presque du jour au lendemain.

– Mais où vas-tu ? La France, c'est grand, et

pourquoi pars-tu ? Enfin quoi, tu es né ici, tous tes parents habitent en Algérie. Pourquoi allez-vous vous isoler en France ? Tu n'y connais personne.

– Si, il y a déjà mon oncle, me rétorque-t-il, il est établi depuis quinze ans à Grenoble et mon père va s'associer avec lui dans son affaire d'auto-école. Il paraît qu'elle marche très bien. Mon père en a assez d'être représentant.

Je ne sais que lui dire, que penser. Cette nouvelle m'assomme.

– Tu sais, ajoute-t-il après un court instant de silence, ce n'est pas la seule raison. Ce n'est pas uniquement pour changer de métier que mon père veut partir. Il dit que mieux vaut tirer un trait sur l'Algérie et partir tant qu'il est encore temps. Mon oncle, son frère aîné, a toujours eu de l'influence sur lui. En France, il fait de la politique et il l'a convaincu qu'il n'y en avait plus pour longtemps. D'ici un an ou deux au maximum, l'Algérie sera indépendante.

J'en reste sidéré. Wilfred, toujours songeur, tourne lentement sa cuiller dans son verre à glace. J'essaie d'imaginer l'Algérie indépendante. L'Algérie jamais plus française mais arabe. L'Algérie arabe ou, c'est plus logique, l'Algérie algérienne. Qu'est-ce que cela veut dire ? Un pays qui depuis cent trente ans appartient à la France, qui, dit-on, fait partie de la France, peut devenir subitement indépendant ? Que veut dire ce mot ? Mais est-ce une raison suffisante pour partir ? Nous sommes nés ici. Je demande à Wilfred pourquoi ils ne resteraient pas même si l'Algérie devient indépendante.

— Mes parents y ont pensé. Ils disent que cela ne serait plus possible après. Nous serions alors des étrangers...

— Comment, des étrangers ? Chez nous ? Alors que nous avons toujours vécu ici ?

— Oui, les Arabes s'arrangeraient bien pour nous le faire sentir. Sans compter que certains voudraient se venger sur les derniers Européens.

— Parce que tu crois que tout le monde va partir ?

— C'est sûr, un jour ou l'autre et plus tôt que nous le pensons. Même toi, ta famille, vous partirez certainement. Mes parents veulent le faire maintenant tant que c'est possible sans trop de risques.

Je n'arrive pas à m'imaginer une seconde quittant l'Algérie pour toujours. Pour aller où ? Non, c'est une image impossible à former dans mon esprit. Je comprends à présent l'air ennuyé de Wilfred. Non seulement ce départ dans l'inconnu lui fait un peu peur, mais il ne verra plus ses amis, et notamment Simone qu'il voit depuis plus de six mois.

– Tu as parlé à Simone de ton départ ?

– Non, pas encore, mais il faudra bien que je le fasse. Crois-moi, mon vieux, si je pouvais rester, je le ferais. Ça ne me dit rien d'aller vivre en métropole. Si nous n'étions pas obligés par cette guerre...

Ce climat de guerre et de terrorisme m'apparaît soudainement sous un tout autre angle. J'avais fini par le considérer comme une toile de fond tissée pour la vie, une lumière particulière éclairant notre quotidien, un élément constant de notre décor. Et je m'aperçois qu'il a évolué lentement et a fini par donner toute sa coloration à notre vie, jusqu'à en devenir la chose principale. Il fait prendre aux gens et à leurs actes un virage inquiétant. Et il arrive à présent au milieu de la scène.

Wilfred me tire par la manche.

– Hé ! avec tout ça, il faut que je me dépêche, je vais rater mon trolley-bus. Allez, et puis ne réfléchis pas trop, ça ne sert à rien. On est

42

trop jeunes pour se faire des cheveux blancs.

Maintenant, c'est lui qui me trouve l'air tendu.

– Tu as peut-être raison. Rentrons.

Je l'accompagne jusqu'à l'arrêt d'autobus; il habite à Dar Beida, un faubourg d'Oran; je continue lentement vers la cité Lescure. Dans ma tête se promène l'image d'un pays explosant, arrivé au bout de ses luttes.

Le soir, mon père rentre tard, il a participé à une réunion municipale et semble harassé; mais cela ne fait rien, je veux lui parler.

Je lui demande s'il a déjà envisagé notre éventuelle « transplantation » en France. Est-il irrité par sa journée de travail ? Sent-il que je lui pose un problème qu'il se refuse à examiner pour l'instant ? Il me répond sèchement :

– Il n'en est pas question !

Sa voix est nette et sans réplique.

Chapitre 3

J'avais sept ans quand j'entendis pour la première fois parler du F.L.N. C'était en 1954. Le Front de libération nationale était formé d'Arabes, essentiellement intellectuels ou hommes politiques, qui avaient décidé de sortir de la clandestinité. Le F.L.N. avait pour but d'obtenir l'indépendance de l'Algérie par tous les moyens.

Sachant que la voie des discussions politiques leur serait catégoriquement refusée par la France tant qu'elle ne les considérerait pas comme des interlocuteurs valables, ses membres étaient prêts à utiliser les moyens les plus illégaux tels que le terrorisme dans les villes et la guérilla dans les campagnes. Pour harceler les troupes françaises dans le bled, il leur fallait former des combattants, et ce dans le plus grand secret. Ils les formèrent. Tous ces commandos devaient manifester leur existence dans toute l'Algérie en même temps.

Le 1er novembre 1954 était un dimanche. Nous étions tous à la maison. Nous habitions alors dans la rue Daru, une petite rue sans histoire, marquée d'un côté par l'importante caserne militaire d'Oran et de l'autre par des immeubles de trois ou quatre étages. Nous avions, au numéro 4, un grand appartement avec un immense balcon.

Nous étions à la limite du quartier arabe et du quartier européen. Trois cents mètres au nord, c'était aussitôt le marché maure avec ses boutiques en plein air, regorgeant d'énormes pastèques vertes et de magnifiques grenades rouges, avec ses charmeurs de serpents, ses porteurs d'eau et ses vendeurs de cacahuètes. La place était bordée d'échoppes d'artisans, menuisiers, serruriers, bourreliers, et de cafés arabes où l'on pouvait boire un thé à la menthe brûlant accompagné de beignets ronds poudrés de sucre fin. Deux cents mètres au sud, c'était tout de suite la rue de Mostaganem, large et claire, toute hachurée de magasins modernes, d'immeubles neufs et traversée par des automobiles rapides et luxueuses.

De l'autre côté encore, deux larges trottoirs, où fleurissaient des lauriers-roses, longeaient un grand boulevard. Des fiacres noirs conduits par de vieux Arabes fiers et sévères le parcouraient dans les deux sens — fracas des sabots des chevaux qui frappaient le goudron sec de la chaussée.

Tout le temps où nous avons vécu là, si près du quartier arabe, ni les risques d'attentats et de fusillades, ni les recommandations alarmées de mes parents ne m'ont empêché de pénétrer dans ce monde où tout était pour moi spectacle, joie des yeux, mystère et fascination de l'esprit : le royaume des Mille et Une Nuits était à deux pas.

Avec Roger, un copain qui habitait tout près de chez nous, nous allions souvent jusque dans ce quartier « interdit ». Un de nos dangereux plaisirs était d'attendre le passage d'une vieille charrette chargée de fruits et de légumes ou d'un de ces incroyables fiacres venus comme du passé. Alors nous courions derrière et nous nous y accrochions en prenant appui sur les essieux. Et nous restions là, collés, nous retenant du mieux que nous le pouvions, descendant à toute allure, effrayés mais grisés. Parfois un coup de fouet claquait au-dessus de nos têtes, le cocher s'était rendu compte de la présence de ses deux parasites et nous le faisait comprendre. Au deuxième claquement, nous sautions, de la même impulsion, sur la chaussée brutale, et c'était souvent un genou ou un coude écorché. Nous nous relevions douloureusement mais heureux de notre aventure et prêts à recommencer au prochain véhicule.

Ce dimanche après-midi de novembre, je jouais aux cow-boys avec Gérard dans notre appartement transformé alors en champ de bataille de l'Ouest américain. Gérard avait quatre ans, trois de moins que moi, et je jouais avec lui faute de mieux. Mon grand frère me trouvait trop jeune, mes deux sœurs n'étaient pas tellement attirées par mon pistolet à pétards; quant à Armand, âgé de deux ans et trottant à peine, il m'aurait gêné plutôt qu'autre chose. Gérard faisait donc un adversaire facile et je le pourchassais en hurlant à travers toutes les pièces et en le « tuant » une bonne dizaine de fois. Je l'assurais à chaque fois que les balles qu'il m'envoyait passaient à côté.

Ma mémoire a scrupuleusement gravé ce

qui suivit. Gérard s'était embusqué derrière le divan de la salle à manger et me guettait en surveillant la porte du couloir. Seulement j'étais passé déjà par le couloir dans la cuisine et je m'approchais par l'autre porte de la salle à manger, j'allais le prendre à revers. Nous étions tous les deux silencieux et il ne me voyait pas. Je comptais lui faire une belle surprise. Je criai :

– Haut les mains !

En train de le viser soigneusement avec mon petit pistolet de plastique, j'eus à ce moment-là la plus grande peur de ma vie, je crois. A la seconde même où j'appuyai sur la détente, une explosion terrifiante retentit autour de nous.

Ahuri autant par le vacarme de l'explosion que par le sentiment que j'en étais le responsable, je regardais stupidement mon jouet que je n'aurais jamais cru aussi tonitruant.

Il me fallut quelques instants pour comprendre qu'il s'agissait d'une bombe qui venait d'éclater près de chez nous. Tout alors se précipita; ma mère se mit à courir dans le couloir, affolée et criant à tue-tête :

– Qu'est-ce qui se passe, oh ! mon Dieu, qu'est-ce qui se passe !

Et très vite, son réflexe de mère reprenant le dessus, elle nous cherchait, nous rassemblait tous, nous comptait. Mon père, avec plus de sang-froid, tentait de nous rassurer. Surpris dans la lecture de son journal du samedi, il avait bondi sur le balcon d'où il avait pu voir des gens effarés courir en tous sens et des militaires sortir de la caserne à pied ou en jeep et se diriger vers l'endroit où la bombe avait explosé.

— Calmez-vous, les enfants, ce n'est pas ici. Je les ai vus tourner le coin de la rue. Yvette, tiens-les tranquilles.

Comme le bruit d'enfer auquel nous avions eu droit semblait ne pas se répéter, nous commencions à nous apaiser et notre frayeur s'effilochait. Ma mère, profitant sans doute de la circonstance pour nous donner une leçon de morale, nous déclara :

— Vous voyez à quoi cela sert de jouer aux bandits !

Comme si nous étions véritablement à l'origine de l'explosion !

Mon père voulut savoir ce qui se passait exactement. Il enfilait son pardessus pour sortir.

— Claude, je t'en prie, n'y va pas, lui demanda ma mère, reste avec nous, j'ai peur.

— Non, il faut que j'aille voir. Ne t'inquiète

pas, je fais juste l'aller-retour. Il faut bien que nous sachions s'il n'y a plus de danger.

Pendant vingt minutes, longues à notre goût car ma mère nous empêcha de reprendre nos jeux et de sortir sur le balcon, nous attendîmes son retour. Derrière les fenêtres, nous entendions les hululements des ambulances, les sirènes des voitures de police et le tintamarre des camions de l'armée.

Quand enfin il revint, il nous expliqua que le F.L.N. avait placé une bombe dans les bureaux de l'intendance militaire, située dans la rue parallèle à la rue Daru. Il n'y avait ni morts ni blessés, puisque les locaux étaient vides en ce dimanche après-midi, mais en revanche on constatait énormément de dégâts matériels sans en connaître encore l'étendue précise. Un étage s'était à demi effondré, toutes les vitres du bâtiment avaient sauté, du mobilier avait été projeté par le souffle de l'explosion à des dizaines de mètres. Toute la rue était barrée par les soldats et leurs véhicules mis en travers. Mon père nous décrivait la stupeur dans laquelle étaient plongés les passants et même les membres des forces de l'ordre. La surprise totale se lisait dans tous les regards, personne ne s'y attendait, personne n'y aurait cru la veille, ni le matin.

Et en deux jours, la stupéfaction atteignit toutes les villes d'Algérie. Dans tous les milieux européens, on commentait vivement et âprement la déclaration de guerre du F.L.N., formulée par une série d'explosions de bombes placées dans les bâtiments publics civils ou militaires, au cœur même des principales villes.

Ainsi commençait ce qu'autour de moi j'ai toujours entendu appeler « les événements ».

Brutalement, à notre vie de tous les jours venait de s'ajouter une nouvelle constante qui ne devait plus la quitter. Elle grandit peu à peu, mois après mois, année après année, s'imposant à chaque fois avec plus de force, imprégnant nos moindres actes.

Aujourd'hui je me rends compte que cette tension perpétuelle a donné raison aux Arabes, puisqu'elle nous empêchait de circuler dans ce pays, donc de le connaître et d'apprendre à l'aimer. Il n'était pas question de tourisme ou d'excursion en Algérie. La présence du danger partout et tout le temps nous excluait doucement mais sûrement.

J'aurais pourtant aimé découvrir l'Algérie, parcourir ce pays de près de trois millions de kilomètres carrés grâce à son immense Sahara, grand comme cinq fois la France. Je n'en ai pas eu l'occasion. On m'a parlé du Hoggar où vivent les hommes bleus, les Touareg; on m'a décrit les gorges profondes de la région de Constantine; les roses de sable que sculpte le sirocco* près de Colomb-Béchar; on m'a raconté les mystères de la Casbah d'Alger la Blanche. Mais je n'ai rien vu de tout cela, aussi ne puis-je en parler. Comme je ne peux vraiment parler de l'histoire de ce pays et de ces peuples. Je ne connais qu'Oran et sa colline de Santa Cruz, ses faubourgs populeux et ses plages lisses. Je ne me suis presque jamais déplacé en Algérie. L'été, j'allais en colonie de vacances en France, dans un hameau près de Moissac — une région que j'ai appris à aimer — ou bien, avec mes parents, nous passions un mois dans les Alpes ou sur la Côte d'Azur. Mais en Algérie même nous ne nous sommes pas risqués à pénétrer dans ce que nous appelions le bled. A deux reprises seulement, nous avions pris le train. Une fois pour Orléansville, à l'occasion du mariage d'une

---

* Sirocco : vent chaud et sec d'origine saharienne.

tante, une autre fois pour la naissance d'un cousin à Relizane. Ces deux petits voyages d'une journée restent très flous dans ma mémoire — j'avais sept ou huit ans. Je ne revois que les militaires qui effectuaient des contrôles d'identité dans les wagons surchauffés.

Pourtant j'aime ce pays, comme un chat aime la maison où il vit, heureux. J'aime le ciel au-dessus de moi très souvent d'un bleu très pur, j'aime les palmiers verts plantés au milieu des trottoirs, et les lauriers blancs ou roses dans les jardins qui font une douceur fleurie près des massifs d'épineux.

Le lendemain de l'attentat à la bombe contre l'intendance militaire, les écoles étaient pour la première fois gardées par les soldats. C'est sous la protection de leurs fusils-mitrailleurs que nous sommes retournés en classe. Et je me souviens, à l'école primaire, de rafales crépitantes entendues pendant les cours, pendant que notre maître au tableau nous apprenait une leçon d'histoire lugubrement interrompue. Nous nous jetions sous nos pupitres à chaque alerte. Je revois, sur le chemin de l'école, des Arabes maltraités, debout contre un mur, les mains sur la tête, soumis à une fouille volontairement méprisante par des militaires hargneux. Les hommes en armes, que ce soient les gardes mobiles, les C.R.S., les soldats du contingent ou les membres de l'O.A.S., font solidement partie de notre paysage urbain.

Sur onze millions d'habitants que compte l'Algérie, il y a dix millions d'Arabes et un seul million d'Européens. Ce mot « Européens » est très vague, car ces gens sont nés en Algérie, sur la terre d'Afrique. On veut désigner par ce terme les non-Arabes, une population composite regroupant les Français d'origine espagnole, italienne, d'origine française aussi parfois, et les israélites dont nous sommes. Dans ma famille, on est d'ascendance juive, on pratique la religion plus ou moins, on croit en Dieu plus ou moins tout en s'affirmant comme Français. Tous les juifs d'Algérie se sentent plus proches des chrétiens que des musulmans, et c'est pour cela, sans doute, qu'ils sont assimilés aux Européens. C'est bien compliqué et je ne saisis pas toujours la portée de ces nuances.

Un jour, mon père m'a expliqué que nous étions, en fait, d'anciens Berbères descendants des tribus de Massinissa, ce chef guerrier qui s'allia à Scipion pour vaincre Hannibal devant Carthage. Très au sud de l'Algérie, près du Sahara, se trouve une oasis qui s'appelle le Touat et dont les habitants étaient les Touati. D'après lui, mais il n'en est pas tout à fait sûr, nous serions, puisque c'est notre nom, les descendants de ces hommes qui vivaient là, bien avant l'arrivée des Arabes venus d'Orient. La plupart des Berbères ont été au cours des siècles agglomérés, parfois de force, dans une religion; certains furent christianisés lorsque saint Augustin était évêque d'Afrique au IIIe siècle après J.-C., certains, très tôt probablement, avaient été judaïsés par des juifs chassés de Palestine et venus trouver refuge dans le Maghreb, d'autres encore, la majeure partie, furent islamisés au VIIIe siècle lors de la poussée arabe.

Mon père m'a aussi raconté comment, lors de la conquête de l'Algérie par la France de 1830 à 1850, les juifs, heureux de voir l'oppresseur turc chassé et battu, s'étaient brusquement sentis tolérés et respectés par les autorités françaises. Ces dernières leur accordèrent la nationalité et la citoyenneté françaises en 1871. C'est peut-être pour cette raison qu'ils se sont dans l'ensemble très vite adaptés au mode de vie introduit par les Européens et facilement intégrés à la population des colons, alors que les Arabes, bien plus nombreux, ont toujours résisté dans leurs traditions et leur religion. Ils réclament à présent pour leur peuple une liberté qu'on ne semble pas leur avoir accordée. Pour eux, l'Algérie n'est évidemment pas française et les Français sont des envahisseurs à refouler. Aujourd'hui, ils veulent faire reconnaître leurs droits à former un État indépendant.

Est-ce parce que je ne suis qu'un adolescent que je pense que tout devrait s'arranger sans guerre, sans horreurs de part et d'autre ? Dans la réalité, hélas ! les choses sont bien plus embrouillées qu'elles ne le paraissent à mon esprit. Pendant sept ans, les passions et les haines ont abouti à une situation tragique et à un inévitable déchirement.

Pourquoi ? Pourquoi ?

Chapitre 4

Prenez une feuille de papier, inscrivez vos nom, prénoms, date et lieu de naissance, profession des parents. Indiquez si vous êtes redoublant...

Depuis une semaine, la rentrée est commencée. Et pour la première fois Wilfred n'est pas dans ma classe; est-ce un signe ? Il doit partir dans quelques jours. Qui sait si nous nous reverrons ? Il m'écrira dès son arrivée en France.

Assis à côté de moi, un nouveau, Jacques Bressand, un gars marrant et à l'esprit pratique. Nous sommes en train de discuter de l'opportunité d'apporter la prochaine fois un tas de bandes dessinées que nous pourrions alors louer pendant les cours d'histoire.

Judicelli est un de ces professeurs ronron-
nants que personne n'écoute. Nous allons
bien nous entendre, Bressand et moi, pourtant nous ne nous ressemblons pas du tout.
Lui, blond et carré, moi avec ma tête ronde
et brune. C'est un grand type, très fort en
gym; il vient de Bordeaux et n'est en Algérie
que depuis deux ans. Il parle encore avec un
drôle d'accent qui n'a aucun rapport avec
l'accent pied-noir. Nous avons sympathisé
dès le premier cours de la rentrée. C'était
avec Boulard, notre prof de français, probablement le plus folklorique de tous les profs
d'Algérie. Quand nous l'avons vu entrer, tel
un petit bouledogue en colère, dans la salle
où nous l'attendions, Bressand s'est tourné
vers moi.
— Tu sais comment il faudrait l'appeler,
celui-là ?
— Crapaud ? Momie ? Bleu d'Auvergne ?
— Non, Boulet. Il a vraiment la tête à ça.
— Alors je préfère Boulette, c'est plus gentil.
— D'accord. Va pour Boulette.
   Au fond, la vie de lycée ne me déplaît pas;
j'aime mon « bahut », je m'y sens bien.
J'aime l'architecture un peu mauresque,
orientale, du lycée Lamoricière. Ce très long
bâtiment avec un rez-de-chaussée et deux
étages de classes est flanqué de part et

d'autre de plusieurs cours carrées au milieu desquelles se dressent de grands palmiers. Ces cours que nous remplissons aux heures de récréation ou de gymnastique sont bordées de salles vastes et claires. L'originalité essentielle se découvre à l'intérieur du bâtiment central, qui se présente tout en galeries et arcades avec, à trois reprises, comme des haltes de calme et de repos, des patios garnis de quelques arbres autour d'une fontaine ou d'un bassin où nagent de paisibles poissons rouges. Ce sont les cours d'honneur, celles où ont lieu en fin d'année, au mois de juin, les distributions de prix; on les préfère aux autres à cause de l'impression de sécurité et de fraîcheur qu'elles procurent à cette cérémonie.

Heureusement que j'aime mon lycée, car j'y passe beaucoup d'heures de la journée, les principales. Je suis demi-pensionnaire et le soir je reste à l'étude jusqu'à sept heures avant de monter chez moi. La plupart du temps, mes cours commencent à huit heures. A midi, quand finissent ceux de la matinée, nous nous rendons dans l'immense réfectoire où nous nous retrouvons plus de six cents.

Dans les cours de récréation, nous nous bousculons après chaque repas, vers midi et demi. Il y a ceux qui travaillent très consciencieusement et ne veulent pas perdre une miette de savoir; ils révisent leurs leçons en se tenant groupés près du perron pour être très vite, dès la première sonnerie, dans les couloirs et pour rejoindre les premiers la salle d'étude. Les fanatiques du football ne se comptent pas; heureusement, la cour est immense et deux matches peuvent s'y dérouler en même temps sans que les joueurs se mélangent. Il y a aussi le clan des amateurs de cartes. Très nombreux, ils jouent par groupes de quatre à la belote bridgée ou au barbu, assis par terre, sous le préau, près des cabinets. Tout autour de la cour, les murs sont le domaine des joueurs de pelote basque. Nous appelons ce jeu ainsi, mais il ne doit pas avoir grand-chose en commun avec la vraie pelote basque. Il m'arrive parfois de participer à certains matches en prenant Bressand pour partenaire, ou de faire une partie de cartes, mais rien de tout cela ne me satisfait vraiment. Je n'ai pas l'esprit sportif.

Je rêve plutôt à une activité totale grâce à laquelle le corps et l'esprit seraient en harmonie et où le but principal ne serait pas de gagner mais de s'accomplir. Je connais peu d'activités de ce genre. L'année dernière, Maurice m'avait parlé du yoga; il paraît qu'aux Indes des gens le pratiquent tous les jours. Ce n'est ni un sport ni une méditation, mais plutôt une respiration, un rythme de vie de tout l'individu. Cela m'attire et il faudra qu'un jour je trouve un livre qui donne plus de détails sur ce sujet.

Au fond, je n'adhère à aucun de ces clans et, même si je les fréquente un peu, je n'en fais pas une habitude quotidienne. Suis-je un cas ? J'aime surtout les mots, ceux écrits dans un livre ou ceux que la voix prononce. Si j'ai le goût des livres, des romans, j'adore aussi le jeu théâtral, les histoires jouées ou racontées, les dialogues. Alors la plupart du temps, je suis dans cette cour à marcher en bavardant de tout et même de rien avec un ou deux copains, pour le simple plaisir de parler. Ou bien encore assis sur le gravier, à l'ombre, je m'isole avec un roman. En ce moment, je lis *La Peste*, d'Albert Camus, l'histoire se passe à Oran et c'est pour moi une raison supplémentaire d'aimer ce livre. J'y reconnais les endroits qu'il décrit et, même si je ne ressens pas comme lui l'atmosphère étouffante qu'il attribue à Oran, je suis heureux de retrouver la colline de Santa Cruz, le port et la mer, fascinante de pureté, dont il parle si bien.

Quand je sors du lycée, il est sept heures du soir. La journée, maintenant qu'elle est finie, me paraît longue et fatigante, il me tarde d'être chez moi. D'autant plus que je sais à quel point ma mère peut s'inquiéter tant que toute sa progéniture n'est pas rentrée au bercail. Elle a toujours et de plus en plus peur d'un attentat. Maintenant, même en ville, il est très dangereux de circuler la nuit. Les jours ont raccourci et quand je quitte le lycée il fait déjà sombre, mais le boulevard Gallieni est toujours éclairé et les rues, grâce à leurs enseignes lumineuses, ont gardé un peu de l'animation du jour.

Et dans ce monde apparemment si calme, avec cette température si douce et ce parfum de la vie qui imprègne l'air, je n'arrive pas à croire fondées les appréhensions maternelles. Par moments, je me dis qu'il n'y a rien, que ma mère s'inquiète pour rien, c'est dans son tempérament. Je me dis qu'il n'y a pas de guerre, de luttes, pas de haine, qu'il n'y a que la vie, trop forte, trop riche pour être détruite.

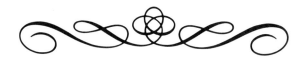

Chapitre 5

Les luttes armées ont évolué pendant toutes les années passées. D'abord, elles ont eu pour champ d'opération le bled, les massifs montagneux et les approches du désert. Là, les fellagha* du F.L.N. tendaient des embuscades et attaquaient les éléments de l'armée française ou bien partaient à l'assaut des orangeraies ou des vignobles des colons. A ce moment-là, en ville, les attentats terroristes étaient peu nombreux et, malgré la présence continuelle de l'armée, l'apparence de paix était maintenue, notre vie d'écolier ou de lycéen ressemblait fort à celle

* Fellagha : vient de fellah, mot arabe signifiant paysan, par extension terroriste arabe.

de la métropole. Mais depuis trois ans le terrorisme urbain s'intensifie, les commandos arabes poussent leurs attaques même dans les quartiers européens. Ils lancent une grenade dans un marché ou sur une place publique, ils font exploser une bombe à retardement dans un cinéma, ils tirent des balles de revolver sur des passants anonymes et s'enfuient dans les méandres du village indigène.

Aux premiers temps de l'insurrection algérienne, la France a voulu combattre par la force. Elle a envoyé des soldats du contingent et chaque fois un peu plus, pour vaincre la résistance arabe qui ne faisait alors que se durcir en augmentant ses moyens de riposte. Le problème algérien devenait au fil des années une incomparable source d'ennuis pour la France.

Le 13 mai 1958 — c'est une date que personne en Algérie ne peut maintenant oublier —, le général de Gaulle a été appelé au pouvoir par toute la population française, y compris celle d'Algérie, au nom de l'Algérie française. Mais au bout d'un an, après avoir refait la Constitution et créé la Ve République, le général de Gaulle a préféré entrer en pourparlers avec le F.L.N., tout en continuant par ailleurs à donner pour mission à l'armée l'écrasement des rebelles ! Par la suite, dans ses discours, on a commencé à entendre les mots : droit à l'autodétermination de la population d'Algérie, négociation avec le F.L.N. dès la fin des combats, coopération dans un monde en paix. Ces paroles n'ont pas rassuré les Européens d'Algérie.

Depuis le début de cette année, tout a empiré. Ici, les Français qui ont commencé à craindre le ton du général de Gaulle ont le sentiment d'avoir été trahis et d'être abandonnés par la France.

Au mois d'avril de cette année, le Général a déclaré qu'il était prêt à envisager la sécession de l'Algérie. Le 21 du même mois, un putsch militaire a éclaté : des officiers de l'armée servant en Algérie — Salan, Challe, Jouhaud, Zeller —, estimant que de Gaulle ne respectait pas ses propres déclarations lors de son arrivée à la présidence de la République, ont formé une junte qui a pris le pouvoir à Alger en s'emparant de la radio et des principaux bâtiments publics. Mais leur tentative a échoué en moins d'une semaine, car l'armée de métropole ne les a pas suivis. Ils ont été obligés de passer dans la clandestinité; d'autres Européens, des civils, se sont ralliés à eux et les ont rejoints avec des cargaisons d'armes volées. Et personne ne sait où est leur quartier général. Ils ont alors créé l'O.A.S. — Organisation de l'armée secrète — et leur sigle noir a barbouillé sur tous les murs de la ville des slogans de vengeance et de guerre. Cette armée secrète utilise la même tactique que les Arabes, elle commet des actes terroristes dans les villes, mais bien sûr envers la population arabe. Dans des tracts qu'on nous distribue régulièrement, l'O.A.S. incite les Européens à manifester contre les Arabes et à pratiquer sur ceux qui ont le « malheur » de descendre en ville le lynchage et l'assassinat. Ainsi l'O.A.S., qui semble avoir l'assentiment de toute la population européenne, organise depuis le mois de mai, au vu et au su de tout le monde, des chasses à l'Arabe et des incursions dans les quartiers musulmans. Sans oublier de faire sauter les maisons ou les voitures des quelques Européens qui ont pris position pour la cause du F.L.N.

Au bout de quelques semaines, malgré la présence de plus en plus concentrée de l'armée et des C.R.S., toutes les grandes villes, Oran comme Alger, Bône comme Constantine, sont dans la main de l'O.A.S.;

elle a des représentants partout qui s'occupent de lui procurer de l'argent, des armes et des hommes. Tout le monde paraît en faire partie, à moins que certains ne donnent le change. Notre voisin du premier, M. Garcia, négociant en vins, y joue un rôle important, j'en suis sûr. Il nous prévient souvent des manifestations qui vont avoir lieu en ville et il nous annonce quand est prévu à la cité Lescure un « concert de casseroles ». Cet homme me fait un peu peur.

Et malgré ce climat étrange qui nous entoure, la vie continue, mes professeurs font leurs cours, donnent leçons et devoirs et moi, Lucien Touati, élève de troisième B4, je peine devant ma deuxième version latine de l'année : César, plein de fougue, harangue ses soldats avant la bataille !

Le samedi, nos cours finissent à midi, aussi partons-nous juste après le repas, avec une sensation de liberté nouvelle.

Nous sommes contents de cette rupture jusqu'au lundi et nous avons l'impression d'avoir laissé notre sérieux d'élèves sous nos tables et de redevenir des adolescents bouillonnant de vie. Bressand court devant moi en lançant et rattrapant sa serviette. Arrivé à la grille, il fait un pas symbolique qui marque qu'il est enfin dehors et allume une cigarette devant le regard absent du soldat posté à la porte, dont la tâche consiste à éviter qu'un terroriste ne pénètre dans le lycée. Aussi ne laisse-t-il entrer ou sortir que professeurs et élèves. Je salue respectueusement et le plus militairement possible notre garde, qui se refuse à me regarder. Son rôle de concierge ne doit pas lui plaire. Pourtant il est là, la main posée sur la grenade verte accrochée à sa ceinture, les jambes écartées, à la fois dans une attitude de défi envers l'ennemi éventuel et dans un rêve lointain et préoccupé, comme s'il regardait la France quittée depuis peu de mois. Mais, tel qu'il est placé, elle est derrière lui, et peut-être ne le sait-il pas; je ne me risquerai pas à le lui faire remarquer.

Bressand m'offre une cigarette et nous remontons sans nous presser le boulevard sous la lumière crue du soleil.
— Tu ne veux pas venir passer l'après-midi chez moi ? me propose-t-il.
— Désolé, mon vieux. Ma mère veut acheter

des chaussures. J'ai promis de l'accompagner.

– Zut ! Elle ne peut pas y aller sans toi ?

– Idiot, c'est pour moi, les chaussures.

Il se marre comme une barrique.

– Tu te fiches de moi, mais si tu crois que ça m'amuse ! Chaque fois que je vais dans une boutique avec elle, elle m'appelle devant le vendeur ou la vendeuse le *petit*. La dernière fois, elle était entrée avant moi, je regardais la vitrine quand je l'ai encore entendue dire à la demoiselle : « Je voudrais une paire de chaussures pour le petit. — Oui, madame, quelle pointure ? — Du quarante-quatre. » Si tu avais vu la tête de la vendeuse ! Je me suis approché et je lui ai dit : « Le petit, c'est moi. »

– Tu aurais pu y aller un autre jour, non ?

– Ce n'est pas possible. Elle a dû repérer des soldes. Elle a le chic pour ça; même pour les vêtements, elle se débrouille toujours pour acheter à contre-saison. Le pire, c'est que je n'ai même pas besoin de chaussures en ce moment. Enfin... écoute, mercredi prochain, puisque nous n'avons pas cours l'après-midi, je te propose d'aller au port.

– Au port ? Mais on ne peut pas y entrer sans laissez-passer.

– Mais si, on peut. Je connais un endroit, bien après l'entrée principale, au niveau des entrepôts de marchandises, on peut passer par là, je l'ai fait cet été. Et puis il paraît que deux bateaux de guerre japonais ont fait escale, on peut les visiter. Moi, ça me plairait. Pas pour les canons, pour les Japonais, je n'en ai jamais vu.

– D'accord, si tu veux. Mais c'est dommage pour cet après-midi, on aurait pu écouter des disques, j'ai acheté le dernier 33 tours des Chaussettes noires.

– On fera ça une prochaine fois. Pense plutôt à l'interro de sciences nat que Lasserre nous a promise pour la semaine prochaine, il avait l'air vachement sérieux.

– Alors, là, mon vieux, je m'en balance. Je trouverai bien une excuse. Je lui dirai que j'ai été pris dans une manifestation et que la police m'a gardé toute la nuit. Comme il ne pourra pas vérifier...

– C'est ça, farceur. Je te laisse. Ciao !

– Ciao !

Nous sommes arrivés à la rue de Mostaganem. Bressand la prend sur la gauche, moi je continue tout droit.

Sur un mur du boulevard Lescure, côté à côte, deux inscriptions. L'une en rouge :

F.L.N. vaincra, l'autre en noir : *L'O.A.S. frappe quand elle veut.*

Avant d'atteindre la cité Lescure, je passe devant le bar « Chez Pierrot ». Je fais un salut de la main à René. Une Camel au coin de la bouche — ce jeune homme ne fume que des blondes —, les deux mains posées sur le flipper du café, il secoue l'appareil comme si son esprit y était coincé. Bizarre, ce René, je le connais très peu. Je l'ai toujours rencontré ici dans ce bar où il semble passer de très longs moments. J'y venais de temps en temps, attiré par le clinquant électrique de ces machines américaines qui vous permettent en une courte minute de perdre vingt francs — je devrais dire vingt centimes. Au début, je regardais seulement. Je contemplais les joueurs qui agitaient l'appareil, appuyaient sur les boutons latéraux pour renvoyer la boule d'acier vers les champignons frénétiques. Je regardais le compteur et les bandes de chiffres qui défilaient jusqu'au clac retentissant annonçant la partie gratuite et j'étais tremblant d'émotion à la moindre boule perdue, au « tilt » fatal qui pénalisait la trop grande brutalité du joueur. Très vite, j'ai eu envie de jouer moi-même.

Quoique ce divertissement soit interdit aux moins de dix-huit ans, une large tolérance est pratiquée et il suffit de paraître seize ans pour avoir accès au flipper. Pierrot Simoni, le patron du bar, n'y regarde pas trop du moment qu'on ne fait pas de chahut. C'est un type d'origine corse, très petit et brun, sombre mais souriant. Il sert sans arrêt au comptoir des anisettes et des bières tout en regarnissant les petites assiettes de « kémia* ». Je suis entré quelquefois faire une partie de flipper et à chaque fois j'y ai trouvé René, c'est à croire qu'il y reste la journée entière.

Heureusement je sens bien que ce défoulement auquel je me livre en brutalisant le billard électrique a quelque chose d'imbécile. Je n'ai pas envie de me retrouver obnubilé par ces petites lumières clignotantes et aspiré par le miroitement fugace de leurs éclairs, comme semble l'être René. Parfois je me demande si ce n'est pas la gravité des événements qui nous entourent qui nous pousse à des jeux aussi futiles.

---

* Kémia : amuse-gueule divers (olives, cacahuètes, artichauts coupés, anchois, escargots, gâteaux salés) que l'on mange en buvant l'apéritif.

En ce cas, René doit être très atteint. Et je ne l'aime pas beaucoup. Il a une peau très mate et des cheveux brillantinés. Il s'obstine à porter en permanence une cravate noire sur une chemise pas très blanche. Maigre et long dans un imperméable vert toujours boutonné, il me fait penser à un de ces inspecteurs un peu véreux que l'on voit dans les films policiers américains. Son sourire, quand il sourit, n'est pas franc et promène une ombre de méchanceté : René joue à l'adulte, il veut se conduire comme un homme. Complètement excité par tout ce qui se passe en ce moment, il déteste les Arabes et ne manque pas de le répéter. Violent dans ses paroles, il me raconte souvent des choses que je ne veux pas croire, car, si je lui faisais confiance, je serais déjà engagé dans l'O.A.S., une mitraillette sous chaque bras, une rangée de grenades à la ceinture !

Il habite quelques rues plus loin, presque dans le village nègre*. Orphelin de mère, il vit avec ses trois jeunes sœurs et son père dans un petit appartement sale et sans lumière. J'étais une fois allé chez lui pour lui rapporter un foulard qu'il avait oublié au

---

* Village nègre : on appelait ainsi à Oran le quartier où habitaient les indigènes musulmans. On peut voir là le reflet du racisme local.

café. Il en avait profité pour me montrer que de leurs fenêtres ils voyaient très bien le marché arabe. Il m'avait déclaré qu'il pourrait un jour y lancer une grenade et tout faire sauter. Quel fou !

Ce qui m'inquiète surtout chez lui, c'est l'amitié qu'il me porte; il me trouve très sympa, je ne sais pas pourquoi. Il y a des gens, comme ça, qui s'accrochent à vous sans que vous sachiez pour quelle raison et rien n'est plus pénible qu'une sympathie ou un sentiment à sens unique. Toutes les fois que je le rencontre, il se met à me parler comme si nous avions passé notre enfance ensemble, comme si j'étais son meilleur ami. Il n'a qu'un an de plus que moi, mais dans ses yeux tristes, légèrement gris, je vois une vieillesse que je n'ai pas.

Il m'a vu. Zut ! Il sort du café en criant : « Salut, Lucien », et me rejoint sur le trottoir.

– Comment vas-tu ? me demande-t-il en me tendant une main un peu moite. Qu'est-ce que tu deviens ? Entre faire une partie de flipper.

– Non, René, je suis pressé et puis je n'ai pas un sou.

– Ça ne fait rien, c'est moi qui paie, t'es mon copain.

Je me demande parfois d'où il sort tout son argent de poche. Il en est toujours largement pourvu. Et ce n'est probablement pas son père qui peut lui en donner autant. Je sais que de temps en temps il distribue des tracts pour l'O.A.S. Qu'importe, il vaut mieux que je ne m'attarde pas.

– Je te remercie, mon vieux, mais il faut que je rentre chez moi, mes parents m'attendent.
– Bon. Au fait, tu n'as pas entendu, ce matin ?
– Quoi ? Qu'est-ce qu'il y a eu, encore ?
– A neuf heures, tout près de chez toi...
– A neuf heures, j'étais au lycée. Qu'est-il arrivé ?
– Une voiture avec deux « ratons » est passée à toute allure devant le bureau d'Air France.

Ils ont tiré avec une mitraillette sur les gens qui entraient. Ils ont blessé deux femmes et tué le policier qui allait riposter. Et encore une fois ils ont eu le temps de disparaître, personne n'a pu les raccrocher ! Quand je pense que j'étais à deux cents mètres ! Ah ! les salauds de bicots ! Il faudrait leur faire la peau !

Il réagit comme si c'était lui qui avait été attaqué. Il fait de grands pas furieux devant le café tout en proférant des insultes contre les musulmans.

– Calme-toi, René; je sais, c'est injuste. Mais ça ne sert à rien de te mettre en colère comme...

– Comment, ça ne sert à rien ? Mais tu ne te rends pas compte ? En pleine ville..., les pourris... Il faudrait tous les descendre..., les bousiller.

– La police n'est pas intervenue ?

– Tu parles ! Tu sais comment ça se passe... Le temps qu'ils arrivent..., il n'y avait plus de voiture, c'était déjà trop tard. Ils ne sont jamais là au bon moment, les flics.

– Oui, c'est terrible ! Que pouvons-nous faire, nous ? Nous battre ? Nous ne sommes pas des soldats.

– Moi, je sais ce que je vais faire, me dit René.

Je lui trouve tout d'un coup une lueur presque diabolique dans les yeux. L'air mauvais, il s'approche très près de moi, pose sa main sur mon épaule.

– Viens, je veux te montrer quelque chose.

– Qu'est-ce que c'est ?

– Viens voir; avec ça, je pourrai me défendre.

Il m'entraîne dans la ruelle derrière le bar; elle est déserte. Il met la main droite dans la poche intérieure de son imper, me fait « Chut ! » de son doigt sur la bouche et sort un gros revolver gris-noir au canon luisant. Il a un aspect terriblement vrai. Je reste éberlué devant l'arme, simple et puissante dans son acier verni, qui repose dans les mains de René.

Ses doigts nerveux, jaunis de tabac, aux ongles noirs, caressent la crosse et le canon.

– Il est beau ?

– Tu es fou ! Cache ça ! Où l'as-tu pris ?

Il ne répond pas à ma question; sourire aux lèvres, il joue à faire tourner le revolver autour de son index.

– C'est un 6,35 et il est chargé. J'ai un chargeur de six cartouches neuves.

– René, tu es dingue. Range cette arme.

Il me la montre encore sous tous les angles pour que je sois bien pénétré de sa réalité et se décide enfin à l'enfouir dans sa poche. Nous avons eu de la chance que personne ne nous surprenne.

– Qui te l'a donnée ?

– Ah ! ça, mon vieux, je ne te le dirai pas, c'est un secret de guerre.

– Mais est-ce que tu sais au moins à quel

point c'est dangereux d'avoir une arme en sa possession ? C'est interdit.

– Oui, mais avec ça je vais pouvoir me défendre. Je sais bien comment ça marche.

– Parce que tu penses réellement t'en servir ?

Il prend un air mystérieux et important pour me dire :

– Bien sûr. Si on ne veut pas que l'Algérie devienne indépendante, il n'y a qu'une chose à faire...

– Si tu vois ce qu'il faut faire, dis-le-moi, je t'écoute.

– Il faut tuer tous les types du F.L.N. et chasser tous les Arabes, les rayer tous !

J'ignore s'il parle sérieusement et s'il prend conscience de ce que ça signifie. Je suis horrifié. Déjà, voir un type de mon âge brandir un revolver et parler de s'en servir me stupéfie. L'entendre en plus annoncer qu'il faut exterminer tous les Arabes pour que l'Algérie reste française ! Sa violence me fait peur, mais qu'on veuille m'enrôler dans cette violence, alors que je me sens à peine sorti de l'enfance, à peine sûr de moi, me fait encore plus peur. Quand je pense au peu de réponses que j'ai trouvées à toutes mes questions... et il faudrait dès à présent

décider, trancher, commettre des actes défi-
nitifs !

– C'est l'O.A.S. qui t'a donné cette arme ?

Autrement dit, n'importe qui. N'importe
qui peut l'avoir fait puisque tout le monde en
fait partie ou sympathise. René ne me dira
jamais quelle est la personne qui l'entraîne
dans une telle aventure. Si je devais parier,
je miserais sur Simoni, avec qui il semble
bien s'entendre.

– Qui veux-tu que ce soit ? De toute façon, je
ne peux pas t'en dire davantage.

– Crois-moi, René. Tu ferais mieux de rendre
ce revolver à celui qui te l'a donné ou de
l'apporter à la police en disant que tu l'as
trouvé.

Il fait non avec la tête et me tourne le dos.
Je n'essaie plus de le raisonner. De telles
choses me dépassent. Je ne comprends plus.
Sur le seuil du bar, je lui serre gravement la
main en lui souhaitant bonne chance et je le
quitte. En partant, j'ai la brûlante sensation
d'avoir échappé à une dangereuse contagion.
Et, durant les quelques mètres qui me
séparent de la maison, mon malaise a du mal
à se dissiper. Il faut que j'évite à tout prix de
revoir ce type.

Chapitre 6

Lorsque j'arrive au bas de notre immeuble, il est presque deux heures, j'aperçois Gérard qui joue au ballon avec un de ses copains. Je monte les escaliers jusqu'au dernier étage et frappe à la porte. C'est Armand qui vient m'ouvrir. Au brouhaha général qui règne dans l'appartement, je me doute que toute la famille est présente. Mon père, allongé sur une chaise longue, fait sa sieste en lisant son journal et en écoutant la radio. Je me demande comment il arrive à faire les trois choses en même temps. Ma mère, qui vient de finir la vaisselle du déjeuner, prend son café dans la salle à manger. Elle est assise près du petit balcon qui donne sur les autres immeubles de la cité. Elle profite de ce petit moment de détente, de cette courte halte dans les multiples activités qui découpent sa journée. Je l'embrasse.

— Tu as été bien long à rentrer du lycée, mon fils.

— Oh ! nous sommes sortis en retard aujourd'hui.

Va-t-elle me demander des explications ? Non; du moment que je suis là, elle ne veut pas en savoir plus, son inquiétude a cessé et elle me sourit.

— Tu veux une tasse de café ?

C'est d'elle que je tiens mon goût pour le café noir. Elle le prépare toujours très fort avec des grains qu'elle fait griller au marché et qu'elle moud ensuite dans notre vieux moulin en bois. Très tôt, elle m'a fait apprécier la saveur corsée de ce breuvage et maintenant c'est un plaisir auquel je tiens. J'ai à peine accepté qu'elle est déjà dans la cuisine en train de préparer ma tasse de café et revient très vite avec un petit plateau qu'elle pose devant moi.

— Oh ! là, là ! tout ça pour moi, maman ?

Convaincue comme toujours que je n'ai pas assez mangé au lycée, elle a ajouté deux assiettes de petits gâteaux. Ce sont de menus gâteaux secs en forme d'oiseau, de poisson, de cœur ou de croissant de lune, recouverts de sucre glace blanc et parsemés de petites perles de toutes les couleurs, une vraie joie pour les yeux ! A côté, des gâteaux roulés en forme de cigare faits avec une pâte enrobée de miel et fourrée d'amandes pilées. Ma mère a l'habitude de préparer de la pâtisserie le vendredi, c'est une vieille coutume. Elle ne veut jamais faire de cuisine le samedi, jour traditionnellement réservé au repos; c'est un restant de pratique religieuse qui la pousse ainsi à préparer ses plats la veille. Et comme si elle se le reprochait, comme si elle craignait qu'il n'y en eût pas assez, elle fait toutes sortes de gâteaux qu'elle décore avec amour. Elle fait aussi du pain léger et brun que nous trouvons bien meilleur que la plus tendre des brioches.

– Mange, mon fils, me dit-elle d'une voix douce et sereine.

Et je n'ose refuser, je mange. Ma mère met toute l'affection qu'elle a pour ses enfants dans des attentions culinaires et sa plus grande joie est que nous mangions tout ce qu'elle a confectionné avec l'application d'une maîtresse fée. Aller s'étonner que je sois un peu gros et que je n'arrive jamais à maigrir ! J'essaie parfois, mais cela reste au stade du souhait, je ne peux résister aux gourmandises et aux bons plats qu'elle met sur notre table et qui n'y restent jamais longtemps. Souvent, quand nous sommes tous les huit réunis pour un repas, les six enfants — mes trois frères, mes deux sœurs et moi —, mon père et ma mère, je sens combien pour elle son bonheur est là, de nous savoir tous près d'elle, et combien sa joie est grande si nous faisons honneur au couscous ou à la tafina* qu'elle a mis plusieurs heures à préparer. Huit personnes autour d'une même table, dont certaines particulièrement bruyantes et remuantes, ça donne à la fin du dîner une forte impression de champ de bataille ou de tremblement de terre. C'est comme si un ouragan était passé sur cette table où une demi-heure plus tôt assiettes, verres et couverts présentaient une calme harmonie.

– Le repas des fauves est terminé, constate-t-elle avec un mélange d'ironie et de fierté étonnée dans les yeux.

---

* Tafina : plat traditionnel d'Afrique du Nord d'origine juive composé de pois chiches, d'œufs durs, de pommes de terre et de tripes de bœuf farcies.

Ma mère a trente-huit ans et ils lui vont très bien. On lit en elle une force que n'ont pas entamée les durs travaux qui sont les siens. Elle est la grande intendante d'une petite communauté et cela entraîne beaucoup de travail. Mais la douceur de son sourire et la joie de son regard effacent toutes ses fatigues. Seuls quelques cheveux blancs révèlent son labeur quotidien.

Je bois mon café. Il est chaud et très fort. Je la regarde et je lui parle du lycée; je lui raconte mes nouveaux professeurs, mes copains, mon travail, mais déjà elle ne m'écoute plus.

Ce n'est pas que ce que je lui dis lui soit indifférent, mais pour elle le plus important, et elle le vit intensément au point de ne vivre que ça, est que je sois là, devant elle, présent, vrai comme la vie. Et je suis sûr que pour ramener son attention sur mes paroles il suffirait que je dise « J'ai faim ». Elle est comme ça avec tous ses enfants, jamais rassasiée de nous savoir vivants. Est-ce à cause de son tempérament de mère heureuse de sa progéniture ou est-ce... encore une conséquence de ces fameux événements qui bousculent nos manières de vivre et exacerbent nos sentiments ?

Armand, le benjamin comme nous l'appelons, est installé à la table de la salle à manger et fait ses devoirs.

– Lucien, viens m'aider, je ne comprends rien.

Je me penche sur son travail. Il est, semble-t-il, noyé dans un problème de robinets dont il ne réussit pas à contrôler les débits. Je le plains, car ce n'est pas la première fois.

– Ben, mon vieux, cela fait trois fois cette semaine, j'ai l'impression que la classe où tu es tombé a hérité de tout un stock de problèmes de robinets ! Console-toi en pensant que l'année prochaine, en sixième, les robinets auront disparu.

Je prends son cahier et je commence à lire son énoncé. A ce moment-là, arrivent en criant, courant et se poursuivant Maryse et Evelyne, et instantanément la pièce devient trop petite. Ma mère, qui veut essayer d'arrêter la sarabande effrénée, se met à parler très fort, c'est-à-dire à crier :

– Arrêtez, folles, arrêtez de courir ainsi ! Sinon je vais chercher votre père !

Maryse, qui pleure comme une toupie, donne de bons petits coups de poing dans le dos d'Evelyne qui, coincée contre le frigidaire, lui hurle des injures en réponse. Maurice, qui devait essayer de travailler dans sa chambre, claque la porte, pénètre en trombe dans la tourmente en réclamant d'une voix perçante un silence que personne n'est en mesure de lui accorder maintenant.

Mon père, voulant à tout prix éviter de se mêler au différend, s'isole... en augmentant le volume de la radio qui justement diffuse une musique arabe des plus aiguës. Au milieu de ce phénoménal charivari, je saisis quelques bribes d'informations sur ce qui semble être à l'origine de la poursuite de mes deux sœurs. Maryse, plus jeune qu'Evelyne de quatre ans, s'entend très mal avec elle et, comme elles vivent dans la même chambre et que très souvent elles se chipent des affaires, cela n'arrange rien. Elles sont très jalouses l'une de l'autre, ce qui déclenche des drames avec coups et pleurs, mais nous avons fini par en prendre l'habitude. Dans ce cas particulier, j'ai cru comprendre que Maryse a piqué la brosse à cheveux d'Eve-lyne qui a naturellement voulu la reprendre de force. Maryse n'a pas apprécié du tout et s'est sauvée. Evelyne l'a rattrapée dans le couloir, a récupéré son bien, mais l'autre n'en est pas restée là et la bataille a continué dans la salle à manger. Ma mère, entre les deux forcenées, fait tampon et ne va pas tarder, je le sens, à les calmer par une ou deux paires de claques bien réparties. Je quitte la pièce, connaissant par cœur l'épilogue de ces disputes, et rejoins ma chambre.

Pour un garçon, avoir des sœurs est quelque chose de très étonnant et de presque... gênant. On ne sait jamais quelle attitude avoir exactement avec elles. Ce sont des filles, bien sûr, mais, comme ce sont aussi des sœurs, on a vraiment du mal à les trouver jolies et intelligentes. Je me moque d'elles très fréquemment et, bien qu'Evelyne ait deux ans de plus que moi, je ne peux pas m'empêcher de la considérer comme moins responsable, moins avisée dans toutes les situations. J'ignore l'autorité que lui confère ma mère quand elle s'absente. Et je reste très jaloux de mon indépendance.

Mais, dans une famille aussi nombreuse, tout grand appartement paraît minuscule et nous avons très peu de liberté de mouvements. Ainsi ma chambre, qui est surtout celle de Maurice, n'est déjà pas immense. Il n'y a qu'une table dont il a fait son bureau devant la fenêtre. J'y ai beaucoup moins de choses que lui, mon lit-cage métallique que j'ouvre le soir contre le mur, quelques livres et peu d'objets vraiment à moi. Et, dans la vieille armoire qui nous est attribuée, mes vêtements n'occupent que deux étagères.

J'entre; revenu avant moi, Maurice est déjà replongé dans son travail. Il ne se retourne même pas.

— Si tu as l'intention de rester, ferme la porte et ne fais pas trop de bruit. Il y en a suffisamment comme ça !

Il ne me fiche pas à la porte, mais presque. Avec lui, non plus, le contact n'est pas des plus faciles. Maurice me voit comme un petit frère du genre casse-pieds. Je ne sais pas s'il a raison, mais comme il est l'aîné de la famille et le premier à avoir eu ses bacs — et c'est normal puisqu'il est le plus âgé — il bénéficie de plus d'avantages. Il se coupe de nous tous en se retranchant dans ses études et ses fréquentations. Moi qui n'ai même pas mon B.E.P.C., je suis vraiment une quantité très négligeable. Peut-être que je noircis un peu la situation. Je crois tout simplement que je ne l'intéresse pas et que l'écart d'âge entre nous deux est trop grand pour nous permettre d'avoir les mêmes sujets de discussion ou les mêmes jeux. Et il est loin de vouloir jouer ! L'année dernière, quand il était en classe de philo, il répétait qu'il voulait faire du droit et devenir avocat. Et puis, fin juin, une fois reçu à son examen, il nous a appris qu'il ferait médecine alors qu'il n'en avait jamais parlé auparavant. L'université de médecine a été ouverte pour la première fois cette année à Oran et, avant même de s'inscrire, il a travaillé tout l'été à l'hôpital municipal comme infirmier bénévole.

Avant d'avoir lu un seul ouvrage de médecine, d'avoir eu un seul cours d'anatomie, il a pu apprendre, dès le mois de juillet, à servir dans un hôpital avec une belle blouse blanche et le prestige de ceux qui soignent. Il faut dire que dans les circonstances actuelles on n'y refuse aucune aide. Il y a tellement d'attentats, de manifestations qui tournent mal, d'explosions au plastic, que tous les services sont encombrés de blessés et que les chirurgiens sont surchargés d'opérations. En trois mois, il a appris à faire des pansements, des prises de sang et toutes les sortes de piqûres. Il sait même faire des ponctions lombaires, les plus douloureuses des piqûres. Le spectacle qui lui est offert dans les salles d'hôpital ne doit pas le rendre gai. Il travaille énormément, car ses cours ont maintenant commencé et il paraît pris d'une grande frénésie d'assiduité. Quand il est à la maison, j'essaie de respecter son désir de solitude et de calme, mais je regrette certaines soirées de l'année dernière où il s'amusait à me raconter ses cours de philosophie. Il me parlait de politique, il essayait de m'expliquer les différences entre capitalisme et communisme et les points communs entre Karl Marx et Jean-Paul Sartre. Cela m'intéressait.

– Est-ce que tu permets que je range mes affaires pendant cinq minutes ?

Il acquiesce d'un air ennuyé.

– Vas-y, mais fais vite, me dit-il.

– Ce ne sera pas long. Je dois sortir avec maman faire des courses.

– Bon, alors dis-lui de m'acheter trois cahiers de deux cents pages n'importe où.

– Si tu veux.

A présent, nos conversations sont rarement plus longues. Je vide mon cartable et installe mes livres de classe. Je pêche mon cahier de textes pour vérifier ce que j'ai à faire pour la semaine prochaine. A part ma carte de France qu'il faut que je dessine pour le cours de géo de lundi, je m'aperçois que j'ai pu en fait terminer tous mes devoirs en étude. Tant mieux.

Ma mère m'appelle. Elle est sans doute prête. Je la retrouve dans l'entrée avec trois grands paniers vides dont nous nous chargeons et nous partons.

En bas des escaliers, nous rencontrons Gérard, qui attentivement trace des traits sur le mur du hall avec un gros morceau de craie blanche.

— Viens avec nous, lui dit ma mère, j'aime autant que tu ne traînes pas dans la rue.

Gérard lâche sa craie sans se faire prier et sautille autour de nous. Il est toujours gai et s'accommode de tout ce qu'on lui propose. J'aime bien qu'il vienne avec nous, nous ne serons pas trop pour remonter les courses. Je le rattrape.

— Tiens, prends ce panier, puisque tu es de la partie.

Chapitre 7

Lorsque nous partons faire des achats avec ma mère, nous ne savons jamais très bien ce qui va se passer, ce que nous allons acheter et où nous allons l'acheter. Elle a naturellement quelques idées de base, par exemple aujourd'hui elle veut m'acheter des souliers, mais au fond elle suit son humeur, qui se fait et se défait au hasard des vitrines, des étalages des marchands. Cet imprévu qu'elle met dans ces promenades, même s'il présente certains inconvénients, ne me déplaît pas.

Au coin de la rue Lescure nous faisons une première halte.

Ahmed est là avec sa charrette de figues de Barbarie.

– Vous en voulez, les enfants ? nous demande ma mère.

Bien sûr que nous en voulons ! Elle sait que nous aimons beaucoup ces fruits au goût rafraîchissant, ces espèces de petits tonneaux tachetés de courts faisceaux de piquants noirs. Ces merveilles poussent sur des cactus ! Celles que nous voyons devant nous sont probablement les dernières de la saison. Et Ahmed le sait, qui prend le risque de venir les vendre en ville. Ahmed a de petits yeux malicieux dans une grosse tête que coiffe une splendide chéchia*.

– Quel prix tu les vends, Ahmed ?

– Cent francs la douzaine, madame, c'est pas cher.

– Comment ? Oh ! là, là ! mon pauvre, mais c'est bien trop cher !

Comme tous les acheteurs sur les marchés d'Algérie, ma mère aime discuter longuement le prix de ce qu'elle veut acheter. Ce marchandage est une sorte de rite immuable, comme une kyrielle de formules de politesse.

– Ah ! madame, se lamente Ahmed, y en a

---

* Chéchia : coiffe cylindrique en tricot foulé des populations d'Afrique du Nord.

plus. Elles sont très chères maintenant.
Ma mère fait mine de partir.

– Bon, alors tant pis, ce sera pour une autre
fois.

– Attends, madame, se ravise Ahmed, je vais
te faire un prix.

Il a perdu. Il n'aurait pas dû croire au
renoncement feint de ma mère. Il va être
obligé de baisser son prix.

– Cent francs les quinze, madame. Je jure
qu'elles sont toutes bonnes, délicieuses.

– Écoute, si tu veux, deux cents francs, trois
douzaines.

Elle sait qu'en discutant plus longtemps
ou en faisant encore semblant de partir elle
pourrait faire baisser son prix davantage,
mais elle est un peu pressée. Elle abrège le
cérémonial. Ahmed le sent, alors il accepte.

– Ah ! uniquement pour toi, madame, pour
te faire plaisir.

Il étale une grande feuille de journal au
creux de laquelle il pose délicatement les
figues. En prime, il offre un fruit à Gérard et
à moi. Il prend dans sa main gauche la figue
entre le pouce et l'index sans se piquer une
seule fois et trace avec son couteau aiguisé
deux cercles à chaque bout, qu'il relie
prestement par un long trait transversal.

Ensuite il n'a plus qu'à écarter les deux bords de ce trait pour que la peau se détache sans difficulté. Nous ne sommes pas si adroits, ma mère prend des gants en caoutchouc quand elle en prépare pour le dessert. Gérard et moi, nous nous léchons les doigts. Hum !

– Bon, allez, venez, les enfants, ça suffit. Essuyez-vous les mains, nous dit-elle en nous tendant un mouchoir.

Je fourre les figues dans le panier que je tiens et nous la suivons. Elle agit avec nous comme si nous étions un troupeau, mais heureusement elle ne nous donne plus la main, ce qui, avec notre susceptibilité de garçons, nous offusquerait à coup sûr.

Nous avons fait de nombreux arrêts devant maintes vitrines et nous sommes entrés dans plusieurs magasins dont un de chaussures dans lequel finalement nous n'avons rien trouvé. Nous avons, en fin de course, atterri au Prisunic de la place d'Armes envahie par la foule du samedi après-midi. Il est cinq heures et les rues sont très vivantes, pleines des dernières heures chaudes de la journée et du mouvement affairé des passants. Au carrefour, deux camions de C.R.S. prêts à toute éventualité. Devant le Prisunic, deux employés vérifient les sacs des clients, de crainte qu'un engin explosif ne soit introduit dans le magasin. Nous entrons et parcourons les rayons. Nous achetons de la viande, du jambon et des gâteaux à la crème pour le dîner de ce soir.

Nous remontons, bien chargés, vers le quartier des juifs où ma mère veut faire encore quelques achats. C'est un ensemble de petites rues commerçantes où vivent la plupart des vieux juifs d'Oran. Ils y habitent depuis des générations, depuis le temps où ils s'étaient regroupés dans ce quartier par esprit d'autodéfense. A présent, ils se retrouvent isolés, parlant à peine le français, surtout un mélange d'hébreu et d'arabe. Une seule et longue rue traverse du nord au sud; elle est étroite, avec des trottoirs encombrés de marchandises et de gens. Elle s'appelle tout simplement la rue des Juifs; un brouhaha indescriptible la brasse : cris des vendeurs, conversations bruyantes aux tables des cafés ouverts sur la rue, musiques indigènes criardes, tout concourt à un environnement puissant de bruits discordants.

Ma mère y va de temps en temps, car il n'y a que là qu'elle trouve certains ingrédients pour ses pâtisseries, comme la pâte d'amande ou la poudre de noix de coco, et beaucoup d'autres encore, indispensables à sa cuisine. En outre, sa tante Esther habite dans une de ces rues encaissées et presque toujours sombres. Elle lui rend parfois une visite dans son petit appartement. La tante Esther est une vieille dame très agaçante et très maniérée. Un jour elle nous a appris qu'elle ne mangeait plus de poulet depuis qu'elle en avait vu un saisir d'un coup de bec rapide un gros cafard et l'avaler ! On s'est bien amusés !

J'aime bien son mari, l'oncle Marc, parce qu'il a des cheveux blancs, un sourire de grand-père et toujours un bonbon à nous donner. Il tient au bas de leur maison une minuscule boutique de mercerie bourrée de fils, de bobines, de boutons, de rubans, d'aiguilles et d'innombrables petites boîtes remplies de broderies.

Aujourd'hui, nous n'irons pas les voir. Il est déjà trop tard et nous avons assez de mal à avancer dans la foule des badauds et des marchands. La fumée des barbecues qui flambent en plein air nous pique les yeux et les narines. Devant chaque café, tous les dix mètres, un garçon debout près d'un grand gril prépare des brochettes de rognons, de cœur et de foie, coupés en cubes, pendant que cuisent sur la braise des saucisses pimentées et des rates farcies. Dans cet air épais coule une violente odeur d'épices et de viandes grillées.

Nous atteignons enfin le magasin où ma mère comptait se rendre. Ce n'est pas trop tôt ! Comme toutes les échoppes du quartier, elle est basse de plafond, petite et mal éclairée. Des parfums différents d'épices et de graines diverses se mélangent pour créer une odeur sourde, poivrée et qui prend à la gorge comme un vent de marché. De grands sacs de corde debout sur le sol sont tassés les uns contre les autres et débordent qui de lentilles, qui de pois chiches, qui de fèves séchées, qui de haricots noirs. Au milieu de chaque sac, enfoncé dans les graines, un demi-cylindre d'aluminium servant à la pesée.

– Bonsoir, monsieur Bensoussan. Comment ça va ?

Ma mère s'est avancée vers un petit homme assis derrière un comptoir sur lequel trône une antique et importante balance. M. Bensoussan est un vieillard grassouillet à la figure souriante comme une grimace, ses courts cheveux noirs et bouclés lui font un casque sombre.

– Ah ! bonsoir, madame Touati. (Sa voix a le ton des marchands serviles mais rusés.) Comment va la santé ? Et la grande famille ? Ah, ah ! il y a deux de vos enfants avec vous, qu'est-ce qu'ils sont beaux !

Moi, je trouve qu'il exagère. Gérard, qui n'écoute pas, envoie des grands coups de pied dans les sacs. S'il pouvait en crever un, on s'amuserait un peu, et M. Bensoussan trouverait les enfants de ma mère beaucoup moins beaux...

– Cela fait longtemps qu'on ne vous avait pas vue, continue l'habile négociant. Vous avez déménagé ?

Question classique : quand on n'a pas vu quelqu'un par ici depuis un certain temps, c'est qu'il a déménagé. Toute cette procédure de langage dans cette atmosphère étriquée me fatigue, mais ma mère se sent à son aise dans ce bazar oriental.

– Non, répond-elle. Mais il y a eu les vacances, nous étions à la plage. Et puis, vous savez, maintenant, avec les événements, on ne sort plus comme avant.

– Bien sûr, bien sûr, je comprends. C'est gentil de venir me voir dans ma boutique. Et pour aujourd'hui... qu'est-ce que je vous donne ?

Il va certainement ne rien nous donner du tout !

– Vous me donnerez deux kilos de tramosses*, je vais en faire des conserves, et puis trois livres de fèves et deux de pois cassés.

M. Bensoussan sert avec adresse et rapidité. Dans des sachets en papier beige, il jette de courtes pelletées de graines jusqu'au poids désiré et il roule le bord du sac avec de petits gestes de ses doigts vifs.

– Vous me donnerez aussi des poivrons séchés, des rouges. Cette année, je n'ai pas eu le temps d'en faire griller et je vois que vous en avez là de bien beaux.

Ma mère les fait mariner dans de l'huile épicée pendant plusieurs mois avant que nous puissions les consommer en hors-d'œuvre.

– Et puis je voudrais aussi un kilo de dattes et une livre d'amandes... et une demi-livre de raisins secs.

Elle ne s'arrêtera pas ! Je me demande

* Graines de lupin séchées qui accompagnent un apéritif.

comment nous allons rapporter tout ça à la maison; nos paniers sont déjà pleins, ma mère ne se rend pas compte. Quand elle a commencé à faire ses courses, rien ne peut la détourner. Aujourd'hui, elle a l'air d'être particulièrement en forme.

– Est-ce que vous avez encore des cacahuètes grillées et des noix du Brésil ?

M. Bensoussan se frotte les mains de joie. Quelle cliente ! Que le ciel soit loué !

– Mais bien sûr, j'en ai, madame. Je vous en sers une livre de chaque ?

– Oui..., ça ira comme ça.

Ouf ! j'ai eu peur. C'est terminé. Nous entassons dans nos paniers, du mieux que nous pouvons, nos petits sacs gonflés de toutes ces bonnes choses. Nous sortons. La nuit est presque tombée. Nous avons tous trois mal aux pieds. Cet après-midi de courses pèse au bout de nos bras. Après une dernière halte à un étalage de fruits et de légumes, nous nous dirigeons vers la place d'Armes pour prendre un autobus qui nous laissera à quelque cinquante mètres de chez nous.

En définitive, je n'ai pas de chaussures neuves comme nous l'avions prévu, mais je reviens avec une chemisette à manches courtes que ma mère a trouvée à un prix très intéressant, car ce n'est plus tellement la saison. Comme j'attache peu d'importance à ce que je porte comme habits, je ne suis pas choqué par la façon de procéder de ma mère. Parfois il m'arrive même d'admettre les difficultés qu'elle a pour habiller correctement et nourrir six enfants dont l'aîné n'a que dix-huit ans et le plus jeune dix ans. Je lui trouve un certain mérite à se débrouiller comme elle le fait. Pour mon père, c'est beaucoup plus simple, il lui suffit d'assumer son travail de fonctionnaire et d'en remettre le salaire au foyer.

A la maison, l'animation n'a pas baissé d'un ton. Evelyne est en train de dresser la table — c'est son tour —, mon père écoute les informations à la télévision, Maryse récite à voix haute du vocabulaire anglais avec un violent accent pied-noir, Armand, qui a probablement maintenant résolu son problème de robinets futés, se détend en trafiquant son Meccano dont il a étalé toutes les pièces sur le carrelage. Maurice occupe sans doute la salle de bains, on entend le bruit de la douche. Tout cela sur le fond sonore habituel des grandes cités. Deux mille appartements répartis en huit immeubles moyens et trois grandes tours, dont les bruits s'entre-choquent, s'interpellent et se superposent.

Vers dix heures, tout est plus ou moins rangé dans la salle à manger, la table est débarrassée, la vaisselle est faite. Mes parents se sont retirés dans leur chambre, mes frères et sœurs aussi. C'est une soirée calme, tout le monde lit, travaille ou se repose. Pour ne pas déranger mon frère, je suis resté dans la salle à manger. Accoudé à la balustrade du balcon, je suis bien. Il fait frais. Du bout de nos quatre étages, je regarde le vide noir de la cour intérieure de la cité Lescure. A côté de moi, sur le rebord de béton peint en vert, nos deux canaris, blottis l'un contre l'autre, somnolent dans leur petite cage. Je les observe; de temps à autre, l'un des deux lève une paupière et me jette un regard inquiet.

Soudain retentit un bruit métallique. Il est difficile d'établir d'où il vient. Je scrute l'obscurité. Le bruit recommence; je le situe à peu près dans le bloc en face du nôtre, à cent mètres. Mais je ne saurais dire de quel appartement il vient. Il s'élève peu à peu, s'affermit, persiste. C'est celui d'une cuiller qu'on frappe sur le cul d'une casserole retournée : pan pan pan - pan pan. Un deux trois - quatre cinq. Un deux trois (AL-GÉ-RIE) : rapides, enchaînés, brefs et secs sur la même note. Un temps d'arrêt d'une demi-seconde. Quatre cinq (FRAN-ÇAISE) : longs, graves, plus imposants.

Algérie française, ces deux mots scandés, hurlés dans les manifestations et les meetings, vont être repris avec rythme par les instruments de cuisine. Cette nouvelle forme de concerts est apparue depuis quelques semaines. L'O.A.S. a lancé cette idée quand elle s'est aperçue que, par le seul jeu des sons, des bruits, on pouvait faire comprendre aux autorités, à la police, aux militaires, aux Arabes, à toute la ville enfin, la volonté des Européens de garder l'Algérie. Les forces de l'ordre sont dans l'impossibilité totale de contrôler une telle manifestation. Comment réduire au silence deux ou trois mille casseroles en folie ? On ne peut imaginer les C.R.S. donnant l'assaut, pénétrant dans les immeubles pour faire aux tambours de cuisine une chasse impitoyable, encore moins peut-on imaginer l'aviation jetant des bombes pour mettre fin à la clameur métallique. Aussi, en recommandant ce genre de manifestation nocturne, l'O.A.S. joue-t-elle une carte facile. Depuis quelque temps, même, elle n'a pas besoin d'en décider la date et l'heure ni d'en donner le mot d'ordre. La protestation part toute seule.

Il suffit que, du fond de son appartement, un seul individu, garanti du plus grand anonymat, ait brusquement envie de prendre une de ses casseroles ou une de ses marmites dans sa cuisine et se mette avec le dos d'une cuiller ou d'une louche à produire les bruits magiques.

Ainsi ce soir, malgré quelques ampoules allumées derrière des fenêtres, le noir protège celui qui a commencé. Et déjà l'individu n'est plus solitaire, dans d'autres blocs, d'autres cuisines, des « pan pan pan, pan pan » lui répondent, s'embrassent et se dressent vers les étoiles.

Maurice, qui passe dans le couloir à cette minute, me rejoint à la fenêtre.

– T'as entendu, lui dis-je. Ça y est, ils remettent ça !

– Oui, et on est prêts pour une nuit mouvementée. Pour une fois que je voulais me coucher tôt ! Il n'y aura pas moyen de dormir.

– Tu crois que ça peut durer jusqu'à deux

heures du matin, comme la dernière fois ?

– Je le crains. Quelle bande de fous ! A quoi ça rime ?

Il ne cache pas son désaccord, du moins avec nous à la maison.

A l'extérieur, il est difficile pour un Français de dire ouvertement qu'il désapprouve l'action de l'O.A.S. Il vaut mieux, dans la mesure du possible, afficher un neutralisme prudent.

– Regarde les canaris, lui fais-je remarquer, ils sont complètement affolés.

En effet, les deux pauvres oiseaux, à la fois excités et paniqués par les clameurs grandissantes, sautillent d'un bout à l'autre du grillage et ajoutent au tintamarre général de petits cris de détresse.

A présent les participants au concert improvisé sont au grand complet; certains, même, voulant mieux se faire entendre, ont ouvert leurs fenêtres et se montrent avec leurs instruments qu'il martyrisent avec volupté. Trois étages plus bas, M. Garcia a posé sur le rebord de son balcon un énorme fait-tout sur lequel il abat, avec une puissance hautement mesurée, une grosse clef anglaise. Presque en face de nous, dans le cadre d'une fenêtre éclairée, deux filles en chemise de nuit jouent du sifflet, c'est moins fatigant. Plus loin, sur le côté, j'aperçois une brave grosse femme en peignoir qui frappe une petite marmite avec le manche d'un rouleau à pâtisserie.

Tout est bon pour faire du bruit. La plupart des habitants, entraînés les uns par les autres, se sont mis à taper de toutes leurs forces et sans doute de tout leur cœur. Et maintenant commence une hallucinante soirée. Pendant plusieurs heures, grâce à tous les membres des familles qui vont se relayer régulièrement, un formidable tonnerre va rouler, s'envoler vers le ciel, trouer la nuit; cette symphonie pour deux mots — Algérie française — ou ce concerto pour un seul cri et des milliers d'instruments va se développer, avec des temps forts et des temps faibles, des reprises énergiques mais en un seul et prodigieux mouvement.

Gérard, lui aussi, a entendu. Qui d'ailleurs pourrait rester sourd à ces appels démesurés ? Mes parents n'ont pas bougé de leur chambre et attendent stoïquement la fin du chahut. Les autres, dans la maison, n'ont pas réagi non plus. Que faire ? Peut-on parler à une tempête, peut-on faire entendre raison à un orage en lui disant : « Arrête-toi » ? Mais

Gérard n'a pas cette intention, au contraire. Il traverse la salle à manger, passe derrière nous toujours accoudés à l'orée du vacarme et entre dans la cuisine. Il revient deux minutes après avec le chaudron en cuivre dans lequel ma mère fait ses confitures et une grande cuiller en bois qu'il brandit comme une majorette. Dans cet accoutrement — il porte un pyjama chinois très chamarré — et avec tous ses accessoires, il a vraiment l'air d'un clown.

— Qu'est-ce que tu viens faire avec tout cet attirail ? lui demande Maurice d'une voix en colère.

— Je veux faire un peu de musique au balcon.

— Ça ne va pas, non ? Tu ne crois pas qu'il y a assez d'amateurs ? Tu tiens à tout prix à participer au ridicule ? Va te coucher.

— Mais... Mais... c'est amusant. Moi, je veux taper un peu.

— Écoute (j'interviens en essayant de le raisonner avec des arguments concrets), non seulement tu vas nous casser les oreilles de très près, mais tu risques d'abîmer le chaudron de maman; tu sais comme elle y tient, ça m'étonnerait qu'elle te félicite pour ça.

Gérard ne comprend pas très bien pourquoi on lui refuse de se mêler à la liesse générale et de donner son obole sonore à la bruyante et captivante collectivité. Il voit ça comme un jeu. Maurice, plus péremptoire, lui ordonne :

– Va remettre ces machins en place et retourne dans ta chambre. Le mieux que tu aies à faire, c'est de fermer la fenêtre et d'essayer de dormir.

Gérard s'en va, fortement déçu. Maurice se tourne vers moi :

– Regarde, Lucien : au fond, ce qui se passe là est passionnant.

Il a la voix qui lui vient quand il parle très sérieusement, quand il va « philosopher », c'est-à-dire quand soudain la réalité lui prouve une chose qu'il a apprise dans un livre, quand la vie se fait leçon magistrale.

– Regarde ou plutôt écoute ces bruits. Quand l'homme a peur dans le noir, il fait du bruit... Pour se donner du courage, pour se rassurer, il bouge une chaise, parle à voix haute, chantonne ou tape dans ses mains. De cette manière, il essaie de briser sa peur ou son désespoir. Écoute, si tous ces gens sont arrivés à taper sur des casseroles pour exprimer leur volonté, c'est qu'ils sont au dernier stade de la peur. Tu vois, quand les gens commencent à faire du bruit en frappant comme des forcenés pour crier à l'univers tout entier que l'Algérie doit rester française, c'est qu'ils n'y croient plus eux-mêmes. Ils sont désespérés parce qu'ils savent, sans vouloir se l'avouer, que cette cause est perdue. Si l'Algérie devait rester française, ils n'auraient pas besoin de le scander toutes les nuits.

Je ne me rends pas très bien compte. Je n'arrive pas, comme lui, à analyser la situation. Je me contente de la vivre, cette situation, en tentant de rester moi-même. Mais je ne sais pas qui je suis moi-même et je me cherche. Dans cette réalité complexe et dramatique, j'éclate pourtant de joie de vivre, c'est ma première constatation, et voir plus loin et croire que je peux agir et réfléchir sur les choses autour de moi me dépassent. Pour l'instant, ce sont les choses qui me poussent et vont jusqu'à me bousculer.

Une demi-heure plus tard, le tapage nocturne est toujours aussi intense. Nous décidons d'aller nous coucher. Nous fermons la fenêtre et tirons les rideaux.

– Bonne nuit, messieurs les musiciens !

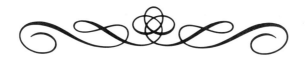

Chapitre 8

Le dimanche est chez nous comme partout un jour de détente. Les diverses activités, amoindries, adoucies par l'absence d'horaire rigoureux et de travaux urgents, prennent un air de vacances. La vie ralentit, passe à un rythme plus calme et plus agréable.

Le matin, nous nous levons beaucoup plus tard. Et particulièrement ce dimanche-là, à cause du concert de la veille qui a raccourci la nuit de la cité. Seule ma mère s'est levée avant tout le monde et déjà, dans la cuisine propre et bien rangée, prépare nos cafés au lait, au fur et à mesure que nous arrivons, les yeux encore pleins de sommeil, les cheveux embroussaillés.

Ma mère passe lentement sur la flamme du gaz les deux poulets qu'elle compte faire cuire pour midi dans son grand four électrique. L'odeur de la chair grillée contredit fortement celle du café. Je lui demande, en m'asseyant :

— Dis, maman, tu ne peux pas faire ça dans une heure ou deux ? Cette odeur est à peine supportable quand on vient de se lever.

— Non, mon fils, je suis déjà en retard dans mon programme... et comme je peux rarement compter sur votre aide pour le ménage...

— Si tu veux, je peux m'occuper de faire des frites pour le repas de midi.

— Non, aujourd'hui, ce n'est pas la peine, je fais une jardinière.

Et elle me montre sur la table deux ou trois kilos de carottes, de navets et de petits pois épluchés, lavés, prêts à cuire.

Je bois mon café. Je vois ma mère jeter toutes les trente secondes un coup d'œil soucieux à son four; derrière la vitre cuit une superbe pizza à la tomate et aux anchois toute pointillée d'olives noires.

Gérard, assis à côté de moi, étale sur de longues tartines de pain du beurre à grands coups de couteau. Je n'ai jamais su comment il faisait pour manger autant et ne pas grossir. Il est même plutôt maigre, et pourtant qu'est-ce qu'il engouffre ! Moi, je n'ai pas cette chance-là, tout ce que je mange me profite, mes bonnes joues le prouvent.

Ma mère, qui décidément ne peut rester sans rien faire une minute, s'est lancée dans la préparation du dessert, un de ces desserts merveilleux dont elle a le secret. Elle a sorti trois grosses grenades qu'elle a achetées hier. Consciencieusement, après les avoir coupées en quartiers, elle détache les grains rouges, tels d'éclatants petits rubis, qui tombent dans un grand saladier. L'opération est très longue et très délicate, car les grains sont tassés les uns contre les autres et adhèrent à la peau rugueuse du fruit. Elle les arrose d'un jus de citron, les saupoudre de sucre et ajoute deux grands verres de vin doux. Elle ne prépare pas souvent ce dessert, parce que l'épluchage des grenades prend toujours beaucoup de temps, mais pour nous le goût sucré de ces joyaux fondants n'en est que plus délicieux.

La cité est calme, beaucoup de gens ne sont pas encore levés et la matinée s'étire tout doucement.

Evelyne entre dans la cuisine, coincée dans son horrible peignoir à fleurs bleuâtres qui lui descend jusqu'aux pieds. Elle ne prend pas le temps de nous dire bonjour. Elle a l'air enjoué de quelqu'un à qui on vient de raconter une histoire drôle. A moins que ce ne soit encore un de ses rêves compliqués dont elle s'évertue très souvent le matin à nous raconter des passages. C'est à chaque fois très confus et sans intérêt.

– Vous avez vu les canaris ? nous dit-elle avec l'intention manifeste de nous intriguer.

– Qu'est-ce qu'ils ont, les canaris, ils sont morts ? demande Gérard, qui imagine tout de suite le pire.

– Non, ils sont devenus complètement fous.

– Ce n'est pas vrai, qu'est-ce que tu racontes ?

– Venez voir, vous comprendrez.

Gérard et moi, nous nous précipitons sur le balcon ouvert de la salle à manger. Armand y est, il regarde les deux bestioles s'agiter. Les deux pauvres oiseaux n'ont plus leur comportement habituel : ils sautent presque furieusement d'un bout à l'autre des barreaux, ils semblent à la fois abrutis par la nuit fracassante qu'ils ont passée et drogués par les sons qui ont martelé sans pitié leurs tympans.

Le plus étrange, le signe le plus inquiétant de leur aliénation, est qu'au lieu de nous offrir leur babillement usuel d'oiseaux insouciants ils pépient sans s'arrêter AL-GÉ-RIE — FRAN-ÇAISE sur le même rythme que les casseroles nocturnes ! Je ne connais rien à la psychologie animale, mais je suis prêt à affirmer que le traitement sonore auquel ils ont été soumis a quelque peu dérangé leur esprit. Ces victimes indirectes présentent un spectacle poignant qui n'a rien de risible.

— Pauvres canaris, dis-je, le cœur serré, ils sont encore sous le choc de la nuit. A force de leur faire entendre pendant des heures « Algérie française », on les a rendus incapables de reproduire d'autres sonorités.

C'est lamentable.

— Moi, je trouve qu'on devrait les relâcher, ajoute Armand. Peut-être qu'une fois en liberté ils arriveront à oublier.

— Peut-être...

Mais Evelyne n'apprécie pas cette suggestion. Elle a eu l'idée d'avoir des canaris à la maison et ne veut pas s'en séparer.

— Et si on les rentrait ? dit-elle. On pourrait les installer sur la petite table de la cuisine ?

– Non, maman ne voudra pas des canaris dans sa cuisine. Elle la trouve déjà assez petite comme ça.

– Il faudrait, dis-je alors, prévenir papa, peut-être trouvera-t-il une solution.

– Oh ! lui ! répond Evelyne, si on lui en parle, il préférera certainement s'en défaire en les donnant à quelqu'un. Tu peux en être sûr. Tu sais bien qu'il n'aime pas les animaux. Tu te souviens, Lucien, quand tu as voulu avoir un chat, la scène que ça a fait...

On a frappé. Notre discussion s'arrête. De petits coups secs sur la porte. Qui cela peut-il être ? Ma mère va voir au judas. Depuis que des attentats ont été commis par le F.L.N. dans des appartements, la prudence s'impose et tout le monde a fait poser un judas sur la porte d'entrée.

– C'est Mme Garcia, dit ma mère.

Elle ouvre la porte et fait entrer notre voisine.

– Bonjour, madame Touati, comment ça va ? Le tam-tam de cette nuit ne vous a pas trop dérangés ? Moi, je n'ai pas pu fermer l'œil.

– Vous savez, on commence à être habitués.

Mme Garcia est une petite personne brune, de type espagnol; elle a une cinquantaine d'années et ses cheveux sont déjà gris. Elle a toujours l'air fatigué et triste, même quand elle sourit. Est-ce l'éternelle robe noire qu'elle porte qui augmente cette impression de tristesse et de fatale lamentation ? Son fils, Paul, a mon âge. Lui est plutôt

Son fils, Paul, a mon âge. Lui est plutôt farfelu, nous avons joué ensemble quelquefois, mais nous ne nous voyons pas souvent car il va au lycée Ardaillon, ce qui désespère sa mère : le quartier est bien plus dangereux que celui de mon lycée.

Mme Garcia est une femme très gentille, surtout avec nous; elle fait partie de ces voisines à qui il manque tout le temps quelque chose pour faire la cuisine, une tasse de lait, un peu de farine, ou deux œufs, ou une livre de sucre, et qui vient aimablement l'emprunter.

— Qu'est-ce qui vous amène, de si bon matin ? lui demande innocemment ma mère.

Nous sommes tous autour d'elles, comme des petites mouches. Cette fois-ci, Mme Garcia n'a plus de café.

— Vous comprenez, je suis tombée en panne. Hier soir, j'ai oublié d'en prendre à l'épicerie.

— Mais bien sûr, madame Garcia, je vais

vous en prêter un paquet. J'en ai toujours d'avance, surtout depuis que je ne vais presque plus au marché arabe ; je prends mes précautions.

Elle va chercher un paquet de café dans le placard à provisions et le tend à notre voisine.

— Restez prendre une tasse avec nous, j'en ai justement là du chaud tout prêt. Vous avez bien une minute ?

Ma mère est trop bonne, je me le dis souvent; aussi bien avec nous qu'avec les autres, elle est d'une générosité spontanée. Mme Garcia refuse. Ma mère insiste, sort la tasse et la soucoupe, qu'elle pose sur un coin de la table vernie.

— Allez, asseyez-vous, faites-moi plaisir.

Et elle ajoute à côté une petite assiette de gâteaux à croquer. Mme Garcia n'ose plus refuser, elle vexerait ma mère. Elle s'assoit en poussant un gros soupir.

— Qu'est-ce qu'il y a ? questionne ma mère tout en versant le café. Vous avez l'air épuisé.
— Oh ! je suis beaucoup plus anxieuse que fatiguée. Si vous saviez le mauvais sang que je me fais ! Qu'est-ce que nous allons devenir avec tous ces événements ? Vous avez vu tout ce qui s'est passé ces derniers temps, ces

attentats, ces crimes, ces bombes ? Tous les jours, je tremble pour mon mari qui a voulu travailler pour l'O.A.S.; depuis qu'il est responsable d'un secteur, j'ai peur pour lui. Ce matin, il est encore parti enquêter au cinéma Rivoli.

– Au Rivoli ? Pourquoi ? Qu'est-ce qu'il y a eu ? Quand ?

Ma mère prend une chaise à côté d'elle. Elle a le don d'attirer et de recevoir les confidences, ainsi a-t-elle souvent des informations, vraies ou fausses, mais de première main. Mme Garcia nous raconte. Sa petite voix au fort accent d'Espagne retrace à coups d'exclamations le drame qui s'est déroulé la nuit dernière.

– Ah ! madame Touati, vous n'aviez pas su ? En pleine ville, vous vous rendez compte ! Purée ! Rien ne les arrête maintenant ! Deux Arabes ont jeté des grenades dans la salle pendant la séance ! Il y avait un contrôle à l'entrée, mais ils sont passés par la petite rue à côté dans la cabine de projection. Quelle horreur ! Ils ont tué le projectionniste et ils ont envoyé les grenades par les trous de projection. Ça a été tout de suite la panique dans la salle. Vous vous imaginez, les cris, la fumée et les gens qui couraient dans tous les sens, qui s'empêtraient dans les fauteuils et qui hurlaient !

— Il y avait beaucoup de monde ?

— Non, grâce à Dieu, la salle était vide aux trois quarts. Vous savez, maintenant, peu de gens prennent le risque de sortir voir un film... N'empêche que ceux qui étaient là n'ont pas pu réagir, coincés comme des rats. C'était affreux. Le type qui est venu chercher mon mari lui a dit qu'il y avait plus de vingt blessés et peut-être des morts. Les deux fellagha n'ont pas eu le temps de s'enfuir dans la folie générale comme ils l'espéraient, la police qui était dans le hall a compris aussitôt d'où venait le massacre. Ils les ont abattus alors qu'ils sortaient de la cabine...

Le récit de Mme Garcia n'est pas gai. Il nous glace, nous laisse muets sans envie de parler, avec quelque chose de sombre, de lourd au-dessus du cœur. C'est la peur que cela nous arrive, et, plus encore que la peur, l'angoisse de l'impuissance : le sentiment d'être, dans telle ou telle circonstance de la vie courante, un jouet fragile et ridicule dans la main d'hommes armés. Être à la merci totale de balles ou d'éclats meurtriers sans avoir le temps de faire quoi que ce soit.

Deux étés plus tôt, sur une petite plage à

trente kilomètres d'Oran, un drame atroce avait eu lieu. Des terroristes étaient parvenus à s'approcher. Sans se faire remarquer, grâce aux dunes qui bordaient le littoral, ils étaient arrivés au sommet et voyaient la plage en contrebas. Alors, sans prévenir, sans laisser la moindre chance aux familles qui étaient là, insouciantes, tout à la joie d'une journée de soleil et de mer, à mille lieues de penser que ce serait la dernière, ils avaient mitraillé tous ces corps allongés sur le sable, innocents, inconscients. Personne, homme, femme ou enfant, n'eut le temps de savoir ce qui arrivait, ni même le temps de dire simplement : « Non ! » Personne n'en réchappa.

Quand cette horrible histoire fut connue, l'émotion et la colère submergèrent le cœur des Européens. Moi, je fus terrifié. Il me semblait que je voyais ces victimes inconnues recevoir les meurtrissures fatales et leur sang éclater, en giclées rouges, sur le sable brûlant.

Mais bien plus encore m'affolait le fait que des individus pouvaient s'arroger le droit de vie ou de mort sur d'autres individus et exercer ce droit au hasard avec la plus absolue des gratuités. L'idée qu'on peut, comme ça, décider en quelques secondes que les êtres qui sont là dans une rue ou dans un magasin, sur une place de marché ou dans un autobus, ont suffisamment vécu et vont mourir dans la minute suivante me paraît terriblement injuste et inhumaine. Je me souviens avoir réagi, non pas contre les fellagha, au fond tout aussi anonymes que les gens qu'ils avaient tués, mais contre ce qui fait que l'homme a ce pouvoir absolu, que cet homme fasse partie du F.L.N. ou de l'O.A.S. Jamais je n'ai autant trouvé injuste qu'un homme puisse tuer un autre homme. Donner la mort devrait être une chose impossible.

Pourquoi faut-il que la mort soit si proche de la vie ? Que la frontière qui les sépare soit si ténue et si facile à franchir ?

Silencieux, faisant un cercle autour de la voisine et de ma mère, troublés par les tumultueuses pensées qui heurtent nos têtes d'enfants, nous attendons que se dissipe très lentement le malaise qu'a fait naître le récit de l'attentat.

— Mon Dieu, se lamente Mme Garcia, où cela va-t-il nous mener ? Vous croyez que cela va se terminer un jour ?

— Mais oui, mais oui, essaie de la rassurer ma mère. Cela finira, j'en suis sûre.

— Oui, mais comment ? Comment ?

Chapitre 9

Les deux jeudis suivants, ma mère refuse énergiquement de me laisser sortir. Elle interdit à mes frères et sœurs de jouer dans la rue le soir après l'école. Je n'ai pu ni aller me balader sur le port avec Bressand pour voir les derniers bateaux arrivés comme nous l'avions projeté, ni revoir Wilfred qui m'avait invité chez lui pour la petite fête qu'il organisait à l'occasion de son départ pour la France. Il avait convié à cette surprise-partie d'adieu des tas de filles et de garçons que nous connaissions; c'est dommage, il avait invité aussi Carole, une grande fille brune que je trouvais très jolie et que j'aurais bien aimé revoir, et je me console en pensant qu'elle n'a pas dû y aller. D'ailleurs

Wilfred n'a sûrement pas eu beaucoup de participants à sa petite fiesta; pour aller à Dar Beida, le faubourg où il habite, il faut prendre le trolley-bus et, dans les quartiers éloignés du centre, les rues sont plus dangereuses.

Au fond, je sais bien que ce n'est pas tellement plus risqué d'aller là qu'autre part. Le nombre d'attentats augmente dans tous les secteurs de la ville, mais ma mère ne veut pas nous autoriser à nous éloigner de la maison pour un motif d'amusement. Elle aurait trop de remords s'il arrivait quelque chose. Enfin...

Ce troisième jeudi, aujourd'hui, elle est quand même d'accord pour que j'aille passer l'après-midi chez ma tante Paulette, qui habite à la cité Petit, un quartier à la limite du village arabe. Elle a accepté parce que c'est le cousin Jean-Paul qui vient me chercher. Il me ramènera ce soir. Elle lui fait confiance, car lui aussi est responsable d'une famille.

Il est évident que sortir avec une personne plus âgée n'apporte pas plus de sécurité. L'attentat, la grenade ou la fusillade peuvent arriver n'importe où, n'importe quand. Il a fallu se faire à cette idée et s'habituer à cette éventualité en continuant à agir comme si cela ne devait arriver qu'aux autres. Vision simpliste et égoïste de la vie de tous les jours.

Hier matin, j'ai assisté, en allant au lycée, à un acte de violence comme il s'en produit plus de vingt ou trente par jour à Oran.

J'étais parti à sept heures et demie de la cité Lescure. En général, cela me suffit pour arriver à temps au lycée, où mes cours ne commencent qu'à huit heures pile. Je marchais d'un bon pas. Mon cartable était tout léger et mon esprit aussi. Je n'ai que trois cours le mercredi, deux de français, un de math. Ensuite je reste en permanence une heure, le temps de mettre à jour un ou deux devoirs, et à midi je prends mon repas à la cantine et je suis libre enfin pour tout l'après-midi. J'étais en train de me demander à quoi j'allais occuper ces heures et j'envisageais avec plaisir la perspective de ne rien faire ou de lire autre chose qu'une leçon. J'ai pris à la bibliothèque de classe les contes des *Mille et Une Nuits*, j'ai bien envie de les entamer.

J'en étais là de mes projets quand je suis arrivé au début du boulevard Gallieni qui descend vers le lycée. J'étais arrêté près d'un abri d'autobus, j'attendais au niveau du passage clouté pour traverser comme font tous les écoliers qui ne veulent pas se faire écraser.

Un jeune Arabe d'une vingtaine d'années remontait le boulevard. J'eus le temps de me demander : « Qu'est-il allé faire en plein cœur de la ville européenne ? » Il n'avait pas l'air tranquille, il marchait vite, la tête basse, n'osant regarder personne de crainte de se faire remarquer, sachant à quel point son regard pouvait être une provocation pour les Français. Je le trouvais triste et inquiet et instinctivement j'eus pitié de lui, de ses épaules rentrées. Il ressemblait à une bête traquée tombée par erreur au milieu d'une troupe de chasseurs et pressée de regagner son gîte. Il se dépêchait de rentrer chez lui.

Et brusquement, ce fut très violent et rapide, sous mes yeux : terrorisé à l'idée de passer devant le groupe de personnes attendant l'autobus, il s'arrêta à quelques mètres. Puis il avança. Il m'avait dépassé; je me retournai pour le regarder continuer à grands pas, les coudes enfoncés. Et soudain, de derrière moi, une détonation claqua, il s'écroula sur le trottoir : une balle l'avait frappé en pleine nuque et en une seconde il n'était plus qu'une masse inerte, sans vie.

Je me retournai rapidement, cherchant d'où le coup était parti. J'aperçus un homme, un Européen, bien sûr, qui faisait partie du groupe de gens devant l'arrêt d'autobus, et qui, sans hâte, tranquillement, sans émotion et même sans haine dans les yeux, rangeait un gros revolver du genre Lüger dans la poche de son imperméable. Dans sa main gauche il tenait son journal encore déplié qu'il remit aussi dans sa poche et, sans même jeter un regard sur le corps de l'Arabe abattu, il s'en alla d'un pas lent et calme.

J'étais stupéfié : il n'allait pas s'en tirer comme ça ! Quelqu'un allait l'arrêter ! Un flic allait surgir et lui passer les menottes ! Non, personne ne courut après lui; il tourna le coin du boulevard et disparut. Aucune voiture ne s'était arrêtée, pas un passant n'avait montré de réaction. Personne ne semblait s'être intéressé au drame, à ce drame qui coûtait la vie à un homme, ce drame qu'on n'avait pas voulu voir.

Pourtant le corps de l'Arabe inconnu était bien là, recroquevillé, ramassé sur lui-même, masse sinistre collée au trottoir. Un maigre filet de sang naissait sous sa veste.

Au-dessus de moi, le ciel était devenu tout noir et ma gaieté avait été gommée d'un coup. Maintenant j'avais plutôt envie de vomir et le goût âcre de la peur. Je m'éloignai en essayant d'oublier ce meurtre accompli de sang-froid au grand jour et dont il restait encore dans la rue une vague odeur de poudre. Au loin, très au loin, retentissait une sirène de voiture de police. Quelqu'un s'était quand même décidé à prévenir le commissariat; je me demandai même si ce n'était pas le tueur qui l'avait fait — après tout, pourquoi pas, c'était la touche finale à son travail.

Je savais que je ne pouvais rien faire..., qu'il n'y avait rien à faire. Quand on vit tous les jours à quatorze ans une guerre dont on ne sait presque rien sinon qu'elle s'accompagne de morts des deux côtés, que peut-on faire ?

Par moments, je regrette de ne pas être à un âge où je puisse ouvertement prendre position, je sens bien que j'ai trop peu d'éléments en main. Certes, je suis déjà habitué à la mort, à son spectacle quotidien, ce n'est pas le premier cadavre que je vois, mais je ne peux pas comprendre qu'elle puisse être donnée ainsi devant un arrêt d'autobus dans l'indifférence générale.

J'ai raconté cette scène à Jean-Paul, en bas de la maison, juste avant que nous montions sur son scooter. Mais que dire d'autre ? Que faire ? Je n'en ai pas parlé à ma mère et j'ai bien fait, elle est suffisamment tracassée quand l'un de nous est sorti.

— On n'obtiendra rien de bon de tout ça, me dit Jean-Paul.

— Hélas ! je m'en rends bien compte.

— Le plus inquiétant, mon vieux, c'est qu'il faut s'attendre à pire : de représailles en représailles, les affrontements vont être de plus en plus fréquents et violents. Il y aura de plus en plus de morts.

— J'ai l'impression qu'il va être très difficile de sortir tous indemnes de cette aventure.

— En tout cas, ne prends aucun risque, Lucien. Tiens-toi le plus possible à l'écart de ces folies. Surtout ne te retrouve pas dans une de ces ratonnades qu'ils organisent tous les jours.

— Ne t'en fais pas, ce n'est pas mon genre.

Je l'écoute. Depuis ma toute petite enfance, j'ai trouvé en lui un autre grand frère, mais celui-là toujours prêt à m'aider et à me parler, pas comme Maurice qui s'intéresse à moi très rarement. Pourtant Jean-Paul a bien treize ans de plus que moi. C'est déjà un adulte. Marié, père de deux petits enfants, il travaille à la poste depuis cinq ans.

Sur son scooter, nous roulons très vite et les rues défilent. Emporté par la vitesse, j'oublie toutes ces sombres images. Je me laisse aller au plaisir de cette promenade imprévue et à la sensation de liberté procurée par l'air vif fouettant, mon visage. Le soleil luit dans un ciel clair. Il fait bon.

Le trajet est très court sur la petite machine à deux roues. Jean-Paul me laisse dans la cour de l'école primaire de la cité Petit, il faut qu'il retourne à son travail; il me reprendra ce soir quand il rentrera, vers six heures.

Tante Paulette m'attend au bas du grand escalier qui mène à son appartement et aux classes du premier étage. Elle m'embrasse chaleureusement.

– Comment vas-tu, grand diable de Lucien ? Alors, tu viens enfin me rendre visite ?

– Tu sais, si je pouvais, si cela ne tenait qu'à moi, je viendrais plus souvent.

J'aime beaucoup ma tante et je sais qu'elle aussi a beaucoup d'affection pour moi. Elle est pleine d'attentions envers moi et ne manque jamais une occasion de m'offrir un livre. Et si c'est, depuis longtemps, le cadeau qui me plaît le plus, c'est bien grâce à elle. Les portes de sa bibliothèque m'ont été ouvertes très tôt.

Ma tante est institutrice depuis plus de trente ans et, comme elle est aussi directrice de l'école, elle y habite un grand appartement avec une terrasse au-dessus de la cour. Son mari, l'oncle Édouard, est aussi instituteur. Mais je le vois très peu; c'est un grand bonhomme chauve, très distant, peu bavard. Cet homme froid et énigmatique m'intimide. C'est un cousin de ma mère. Dire que c'est par lui que je suis apparenté à cette femme née à Aurillac ! Elle l'a suivi dans une Algérie qu'elle ne connaissait pas du tout mais où elle me paraît plus à l'aise que son mari, qui pourtant a toujours vécu ici.

Dans l'école vide, le plus surprenant est le silence, il mange tout; presque total, énorme, il occupe les classes, la cour, les couloirs, le préau. L'école sans les enfants et leur agitation devient autre, monstrueusement abandonnée. Seule l'odeur est restée vivante dans les salles. Quand j'ouvre une porte muette, elle est là qui résulte de la craie, du chiffon, de l'encre violette, des cartables, des cahiers et des livres et peut-être aussi des enfants eux-mêmes qui ont peuplé la classe.

Parfois je m'assois au bureau du maître et je regarde toutes ces tables vides, je prends un bâton de craie et pour une fois au tableau j'écris ce que je veux. Dans la cour déserte, où résonne étrangement le bruit des chasses d'eau des w.-c., je joue au ballon ou je fais du vélo.

Aujourd'hui, tante Paulette a préparé des crêpes. Ce sera pour tout à l'heure. Elle m'apprend que Françoise, sa fille, et Raymond, le fiancé de Françoise, passeront dans l'après-midi nous voir. Ils sont tous les deux instituteurs dans le bled, à deux cents kilomètres d'Oran; ils n'y ont pas une vie très drôle. Cet été, nous allions souvent ensemble à la mer et un jour Raymond m'a raconté combien dans le bled leur vie était à la fois plus douce et plus dangereuse qu'en ville.
– Viens, me dit ma tante, je vais te montrer un livre que tu ne connais pas.
Je la suis dans le salon-bibliothèque. Sur la table en bois ciré, un gros livre relié en cuir.
– Qu'est-ce que c'est ?
– Regarde, tu verras bien.

Son aspect est impressionnant; la reliure sombre, les nœuds dans le dos, les pages de garde rouges et marbrées, tout semble dire que ce livre est très vieux et précieux. Je lis le titre : *Notre Algérie.* Je feuillette et admire les dessins : portraits d'Arabes, de juifs ou d'Espagnols en habits folkloriques, paysages du sud de l'Algérie, plages, côtes et scènes de la vie quotidienne constituent une formidable documentation. Je cherche la date d'impression. Au bas de la première page : 1929.

– 1929 ! Tu te rends compte ! Comme c'est vieux ! Où l'as-tu acheté ? Il doit être rare.

– Oh ! oui, à présent on ne doit pas en trouver beaucoup. Je l'ai eu avant la Seconde Guerre mondiale alors que je voulais faire un voyage en Algérie. Il y a trois mois, je l'ai retrouvé dans une vieille malle en osier que j'avais montée au grenier. Tu vois, j'en ai tellement que je ne sais plus où les mettre. Mais celui-là, ça m'a fait plaisir de le revoir. Alors je l'ai fait relier en peau, pour mieux le conserver. Il est beau ?

– Très beau. Vraiment. Et... tu me le prêteras ?

– Bien sûr, Lucien. Je sais bien que tu prendras soin de lui.

– Dis-moi, est-ce qu'on comprend, en lisant ce livre, pourquoi il y a tous les événements d'aujourd'hui ?

— Pas du tout, il a été écrit à une époque où on ne pouvait pas imaginer une seconde que les Arabes se révolteraient et réclameraient leur indépendance. Personne ne pouvait croire à une guerre comme celle-là.

Du coup, mon intérêt pour l'ouvrage faiblit un peu. Oh ! certes, je le lirai quand même, mais je sens que je n'y trouverai pas de réponses importantes, d'autant que je me rends compte, chaque jour un peu plus, de mon ignorance. Ce que je cherche à comprendre est bien au-delà des événements eux-mêmes. Tante Paulette, qui me voit songeur, le devine.

— Quand tu étais plus jeune et que quelque chose t'ennuyait, sais-tu ce que tu faisais ?

— Quoi donc ? Je ne me rappelle plus.

— Quand tu avais neuf ans et que tu ne savais pas à quoi t'occuper, tu avais l'air très embêté, alors je te conseillais de prendre une feuille de papier, un crayon et de raconter une histoire.

— Et je le faisais ?

— Oui, tu écrivais des histoires de cow-boys ou de bandits et même parfois de jolis contes de fées. Tu aimais beaucoup ça. Chaque fois que tu le faisais, tu étais tout fier et moi j'étais très contente de toi.

134

Cela me fait sourire.

— Oh ! moque-toi ! Mais c'est vrai. Toutes les fois que tu le peux, écris ce que tu vois, ce que tu sens ou ce que tu imagines, cela n'a pas d'importance, l'essentiel est que tu écrives. Je t'assure, tu devrais..., cela te fera du bien.

— Peut-être..., je ne sais pas, je verrai.

Le temps passe toujours très vite chez ma tante. Après le goûter — d'excellentes crêpes au sucre et une savoureuse tasse de chocolat —, nous faisons une partie de cartes avec Françoise et Raymond. J'ai la réputation d'être un bon joueur de bridge, c'est Jean-Paul qui m'a appris ce jeu que je trouve bien plus intéressant que la traditionnelle belote. Tour à tour, je défends cette réputation avec chacun des joueurs.

A sept heures, Jean-Paul me raccompagne. Ma mère le remercie et lui propose de prendre un apéritif, mais il refuse. Sa femme, Hélène, l'attend et s'inquiétera, sans doute comme tout le monde, du moindre retard.

Quand Maurice rentre, un peu plus tard, dans la soirée, il nous apprend qu'on a ramené à l'hôpital les corps de deux Arabes lynchés dans l'après-midi au cours d'une ratonnade près du port.

Chapitre 10

Nous sommes en pleine période de compositions. Elles ont toutes été groupées entre le 15 et le 25 novembre. Dans trois jours c'est fini. Ouf ! Ce ne sera pas trop tôt. Je n'aime pas ce surmenage intensif de quelques journées auquel on nous astreint. Pourquoi ne pas étaler ces épreuves tout au long du trimestre ? Il est vrai que cela n'aurait pas l'avantage de nous détourner du contexte dans lequel nous baignons et de nous faire oublier pendant une dizaine de jours la pluie d'attentats, ceux de l'O.A.S. et ceux du F.L.N.

Dans la grisaille de novembre, Oran devient petit à petit une ville folle. Sans doute toute l'Algérie vit-elle cette même folie guerrière. Bien sûr, on peut toujours acheter son pain ou ses cigarettes et aller à son travail ou rentrer chez soi. Au lycée, on peut toujours suivre les cours et même être collé comme je l'ai été quatre heures jeudi dernier pour avoir chahuté pendant l'heure de musique — plus exactement, j'avais caché la casquette du prof dans le piano et j'ai crié qu'il y avait un crapaud dans l'instrument. Seulement, et il y a une foule de seulement, les choses les plus insensées se produisent chaque jour.

L'O.A.S. cherche à augmenter son pouvoir en faisant régner la terreur. Toutes les nuits, des charges de plastic explosent devant ou dans les habitations de certains Européens que l'O.A.S. désigne ainsi à l'attention générale. Il s'agit de ceux qui refusent de verser de l'argent à l'organisation — tous les médecins et avocats paient maintenant un tribut mensuel à l'O.A.S. s'ils veulent continuer à exercer — ou encore de ceux qui veulent quitter l'Algérie et qu'on empêche matériellement de partir. Les Européens désireux de s'installer en métropole sont de plus en plus nombreux et l'O.A.S. sent que chaque départ affaiblit sa cause.

La ville devient totalement interdite aux Arabes relégués dans le village nègre, même les petits Arabes vendeurs de journaux ont disparu. Les manifestations, même dites pacifiques, finissent toujours mal; la présence des C.R.S. et des gardes mobiles est une provocation à l'émeute. Tout rassemblement au nom de l'Algérie française devient au bout d'une heure une chasse aux « ratons ».

Le F.L.N. intensifie, lui aussi, ses actions : grenades lancées dans les cafés, bombes à retardement déposées dans les lieux publics, fusillades ou assassinats purs et simples de passants dans les rues, sabotages des lignes d'électricité et de téléphone.

Il est dit que la violence engendre la violence, que la haine engendre la haine.

Je pense au rictus de joie mauvaise qui illuminait le visage de René, rencontré il y a trois jours. Il me racontait comment ils avaient eu deux jeunes fellagha dont le seul tort avait été de traverser l'avenue de Mostaganem à pied. Pris en chasse par une vingtaine d'Européens dont René, armés de revolvers et de gourdins, les deux hommes s'étaient réfugiés dans l'arrière-boutique d'un marchand de vélos sans se rendre compte, dans leur affolement, qu'ils tombaient dans un cul-de-sac et qu'aucune sortie ne leur était permise. Alors un des poursuivants avait confectionné un énorme cocktail Molotov qu'il avait balancé par le vasistas ouvert de l'arrière-boutique. Cela avait opéré un véritable carnage et littéralement éparpillé les deux Arabes. René trouvait ça génial. Et toute cette horreur m'écœurait.

Dire que rien de tout ça n'entrave la vie scolaire. On est toujours obligé de réviser ses leçons, de préparer ses compositions. Et, pendant que des gens se battent et se tuent, il faut retenir que Louis XIV est monté sur le trône de France en 1642 ! L'autre jour, à une heure et demie, nous étions encore dans la cour de récréation quand une fusillade a éclaté près de l'entrée du lycée. Nous nous sommes précipités pour voir, mais nous n'avons rien aperçu. Nous avons entendu des hurlements d'ambulance, des explosions de grenades, des cris. Mais toute cette effervescence n'a pas empêché Fraysse, le prof de math, de nous donner une interrogation écrite d'algèbre; au contraire, je me demande s'il n'a pas cherché à nous calmer avec une interro. Il est de plus en plus chahuté, à un point que je ne sais pas s'il finira l'année !

Il faut reconnaître que l'ambiance au lycée a changé graduellement. Auparavant, il existait comme une sorte de frontière avec l'ébullition extérieure. Une fois dans l'établissement, nous étions coupés de la rue et de ses drames. La guerre d'Algérie n'entrait pas en classe, aucun prof, aucun pion n'évoquait le problème et nos conversations évitaient le sujet. Mais, depuis quelques semaines, on a commencé à sentir à l'intérieur du lycée l'importance que les événements ont prise. Au lycée Ardaillon, des bagarres ont éclaté dans la semaine entre Arabes et Européens. Il est maintenant très difficile, même en classe, de faire comme si rien ne se passait dehors. Même Boulette qui nous a dit hier à propos des barricades qui avaient été élevées pendant une manifestation : « Peuh ! Une révolution, ça ? Une révolution de papier, une guerre de pacotille ! » Son ton était méprisant mais avec malgré tout un soupçon d'anxiété.

Tous les matins, avant d'aller en classe, nous parlons des derniers attentats, de ceux de l'O.A.S. comme de ceux du F.L.N., et il est rare que parmi les victimes il n'y en ait pas une qui nous soit connue ou parente. Nahon a eu un de ses oncles tué alors qu'il allait dans le quartier arabe acheter un mouton pour un méchoui qu'il voulait organiser; il a été abattu sur un trottoir par une rafale de mitraillette inconnue. Le grand frère de Serra a été grièvement blessé au ventre lors de l'explosion d'une bombe dans un magasin. Mon cousin Hervé a reçu un éclat de grenade à la cuisse pendant une violente manifestation, il est resté quinze jours à l'hôpital.

Ce samedi matin, 25 novembre, l'émotion est grande. Dans la cour Chevassus, où nous nous rassemblons avant la sonnerie, tout le monde semble agité; des groupes se sont formés, où le ton des voix monte. Bressand me met au courant.

— Hier soir, devant le lycée de filles, il y a eu une attaque. Juste à l'heure de la sortie, un commando de terroristes a lancé des grenades par-dessus le mur. Tes sœurs ne t'en ont pas parlé ?

— Non, Evelyne a la grippe et Maryse n'a pas cours le vendredi après-midi. Mais je croyais que l'armée gardait l'entrée du lycée; comment ça s'est passé ?

— Ce ne sont pas les deux malheureux bidasses qui auraient pu faire quelque chose.

Tout s'est produit trop vite, les types se sont enfuis aussitôt malgré la chasse qui s'est organisée.

– Et les filles ?

– Imagine l'affolement et la pagaille que cela a dû être ! Heureusement la plupart étaient déjà sorties. Trois filles ont quand même été gravement touchées par des éclats. Elles sont à l'hôpital.

– Il faudrait faire quelque chose, ce n'est pas normal qu'on soit à la merci d'un tel danger.

– Ne t'inquiète pas, il se prépare quelque chose. Les gars de terminale prévoient une manifestation commune avec les filles.

– Tu ne crains pas que cela finisse mal ? La police ne donnera pas son autorisation.

– Il n'est pas question de demander l'autorisation. D'abord c'est pour exiger que les établissements scolaires soient mieux gardés, pour que l'armée nous assure une meilleure protection.

– Et quand doit avoir lieu cette manifestation ?

– Tout de suite, m'apprend Bressand. Tu ne vois pas qu'ils sont en train de former un service d'ordre ? Le lycée de filles a été prévenu.

On doit se retrouver à la place Jeanne-d'Arc.

En effet, près du portail vert, tout le monde se rassemble. Un pion veut empêcher l'ouverture des portes, mais il est vite écarté par des élèves menaçants.

— Tu as apporté tes affaires de gym ? me questionne Bressand.

— Oui, pourquoi ?

— Pardi, il vaut mieux changer de chaussures ! Viens, il faudra peut-être courir très vite, nous avons juste le temps d'aller mettre nos tennis et de ranger nos affaires dans les casiers.

Nous nous hâtons. Cette fois-ci, il est trop tard pour faire marche arrière, je vais connaître ma première manifestation active.

Quand nous revenons dans la cour, le convoi est presque prêt, tous les élèves sont en rang de dix et attendent le signal du départ. Un mot d'ordre circule : « Restez groupés. Ne provoquez aucun incident. C'est une manifestation pacifique. » Nous, nous savons qu'il s'agit d'une manifestation pacifique, mais les C.R.S., eux, le savent-ils ? Nous nous insérons dans la colonne. Un courant d'excitation passe parmi nous.

Le censeur, le visage pâle, anxieux, arrive essoufflé. Près du perron, il essaie de se faire entendre.

— Messieurs, hurle-t-il, soyez raisonnables, regagnez vos classes.

Des huées lui répondent. Il a peur, il recule et s'en retourne vers son bureau. Après tout, il a fait son devoir.

Nous nous mettons en marche, sous l'œil goguenard des trois soldats devant la porte dont ce n'est pas le rôle de nous empêcher de sortir et qui n'en ont d'ailleurs pas envie. Nous sommes près de quatre cents. Une fois dans la rue, nous nous plaçons au beau milieu de la chaussée, ce qui a pour effet immédiat de bloquer la circulation, dense à cette heure, et d'ajouter à nos cris les coups de klaxon furieux des automobilistes.

Le premier quart d'heure se passe sans histoire. Les gens, dans la rue ou sur leur balcon, nous encouragent du geste ou de la voix. Des éclaireurs sont partis au-devant guetter les éventuels barrages de C.R.S. ou de gardes mobiles. Le long de nos rangs, où règnent la bonne humeur et la joie de l'imprévu, montent et descendent plusieurs grands élèves chargés de maintenir la cohésion du groupe. Et nous avançons au rythme d'un « Protégez les lycées ! » lancé de toutes nos forces. De temps en temps fuse un « Algérie française » mais qui s'étouffe aussitôt, n'étant pas repris en chœur. L'heure n'est pas à la provocation politique.

En haut du boulevard Gallieni, nous croisons une voiture de l'armée. Quand nous approchons de la place Jeanne-d'Arc, sans avoir rencontré d'obstacles, nous apercevons les filles. Élèves de la quatrième à la terminale, elles sont toutes au rendez-vous, presque aussi nombreuses que nous. Elles nous saluent de loin et agitent foulards et mouchoirs de couleur. Sous le ciel un peu sombre — pourvu qu'il ne pleuve pas ! — elles sont massées autour de la statue de Jeanne d'Arc et chantent — je me demande bien pourquoi — *La Marseillaise*. Les premières que nous rencontrons nous apprennent qu'elles ont été suivies tout au long des rues par deux cars de C.R.S. Nous les voyons, ils se sont arrêtés au bout de la rue, les hommes sont descendus et barrent le passage. Leurs uniformes noirs et leurs matraques se détachent sur la lumière du jour.

Sur la place, la liesse est totale. Certains ont apporté des sifflets, d'autres des tambourins. Éclats de rire, bavardages et musiques ont envahi les lieux. Les kiosques des deux marchands de glaces sont submergés. Dans cette ambiance de kermesse improvisée, garçons et filles, heureux de cette nouvelle manière de se rencontrer, forment des farandoles autour de Jeanne d'Arc juchée sur un gros cheval de bronze doré. Nous pouvons nous féliciter de la réussite de la première partie de la manifestation, mais comment continuer, maintenant que nous sommes regroupés, comment traverser le centre de la ville ? Les deux principales rues aboutissant à la place sont à présent obstruées par des rangs de C.R.S. et de l'autre côté c'est pareil. Nous sommes cernés, coincés. Si nous voulons poursuivre la manifestation, il faut forcer un des barrages et éviter de s'éparpiller. Jean-Luc, l'un des gars de terminale qui ont pris la tête de notre groupe, discute du choix à faire avec Josiane, une petite brune aux cheveux bouclés et aux gestes très décidés.

— Il faut parlementer, dit-elle.
— Essayons toujours, on verra bien, dit Jean-Luc.

Nous reformons nos rangs et traversons la place, tout droit vers le premier groupe de C.R.S., qui se resserre immédiatement à notre approche. Nous aussi, par réflexe, nous nous serrons les coudes. A trois mètres d'eux, nous stoppons. Jean-Luc, Josiane et d'autres responsables vont parler à celui qui semble être le capitaine des hommes casqués. Bressand et moi, au premier rang, nous voyons leurs visages se tendre et leurs mains se faire plus nerveuses sur leurs armes. Ils ont chacun une matraque à la main, un fusil à l'épaule et deux grenades lacrymogènes à la ceinture. Nos ambassadeurs reviennent vers nous, déçus : la discussion a été négative, ils refusent de laisser passer les manifestants et demandent que nous nous dispersions dans le calme. Qu'allons-nous faire ?

Nous n'avons pas le temps de prendre une décision, dans les rangs de derrière des cris montent, des « Mort aux C.R.S. ! » partent. Déjà, des enragés ont balancé des morceaux de bois, des pierres et des boulons sur les premiers C.R.S., et c'est la charge !

Ils foncent sur nous de toute leur puissance de choc. Dans une pagaille indescriptible et une fuite éperdue, chacun essaie d'éviter les coups de matraque qui tombent comme des tuiles, les éclats de grenades lacrymogènes. La fumée épaisse nous fait pleurer et nous courons tous vers une voie libre. Je ne regrette pas d'avoir mis mes chaussures de sport. Bressand s'engage dans le couloir d'une galerie marchande qui ressort dans la rue d'Arzew. Je le suis avec quelques filles. Mais une des brutes, plus hargneuse ou plus consciencieuse que les autres, nous pourchasse.

Il me rattrape, il est derrière moi et m'assène dans les fesses un énorme coup de crosse avec son fusil qu'il tient comme une batte. Je m'écroule par terre, étourdi de souffrance. Une seconde, j'ai le temps de voir sa face rougeaude et sa moustache de balai sur des lèvres frémissantes. Heureusement, ce salaud retourne sur ses pas à l'entrée du passage.

Je me relève avec difficulté, la vue trouble; une furieuse envie de me battre, de retrouver cet homme et de l'anéantir s'empare de moi. Avec quoi ? Si j'avais eu, à la minute même, une arme entre les mains, m'en serais-je servi ? Une flamme devant mes yeux pendant une demi-seconde, je suis cette flamme de haine. Mais elle passe très vite et s'éteint.

Je m'éloigne, avec ma douleur lancinante au coccyx. Je retrouve, quelques rues plus loin, des camarades plus ou moins éclopés et nous tâchons, piteusement, de regagner le lycée.

*
**

Je ne parlerai pas de cette manifestation à mes parents. Je ne leur dirai pas que j'y ai participé, même s'ils m'interrogent — et ils le feront sûrement, car ils auront des échos de ce qui s'est passé ce matin. Je sais d'avance ce qu'ils me répondraient et j'ai suffisamment mal pour ne pas supporter en plus une engueulade poivrée. Je crois aujourd'hui avoir compris quel fil minuscule sépare l'homme raisonnable du fou violent et combien il faut peu de chose pour le rompre et faire de lui une bête furieuse.

Chapitre 11

Ce matin, il faisait froid, vraiment froid, pour la première fois de l'année, et c'était quelque chose de nouveau. Mais le ciel bleu très dégagé laissait passer de grandes coulées de soleil qui ravivait la journée.

Marthuisot, le prof d'anglais, nous a rendu les compositions. Deux heures de français ont suivi, animées par un Boulette en pleine forme. Il n'a pas cessé de faire des jeux de mots idiots, sport dans lequel il excelle tout particulièrement.

Dans l'après-midi, deux heures très contrastées : une de gymnastique, qui a surtout consisté en une poursuite aberrante autour d'un ballon ovale qui rebondissait dans les directions les plus saugrenues malgré nos efforts pour lui faire faire quelque chose de rationnel; ensuite, une autre d'histoire, un cours des plus reposants pendant lequel la voix moutonnante de Judicelli nous a gentiment bercés. J'en connais deux ou trois qui se sont même carrément endormis.

C'est déjà la nuit, d'un bleu très sombre malgré quelques étoiles, quand j'arrive dans la rue Lapasset. Il est sept heures et quart. Gérard m'ouvre et retourne en courant dans sa chambre reprendre la dispute qu'il a commencée dix minutes plus tôt avec Armand. Quoiqu'ils fassent pas mal de bruit, je trouve l'appartement bien calme, bien silencieux. Je ne vois pas ma mère. Elle n'est ni dans la salle à manger ni dans la cuisine. Mon père n'est pas encore rentré du bureau, mais lui, c'est normal, il a souvent des réunions de travail qui ne le libèrent que vers huit heures. Je balance mon cartable dans ma chambre et je me dirige vers celle d'Evelyne et Maryse. Je frappe doucement à leur porte.

– Entre, lance la voix d'Evelyne.

Depuis un an, mes sœurs exigent qu'on toque avant d'entrer dans leur chambre, ce que je fais une fois sur deux. Evelyne est à son bureau, elle travaille la tête baissée. Maryse, allongée sur son lit, est plongée dans les méandres d'un de ces romans policiers pour enfants dont elle raffole.

– Alors, en plein mystère ?

– Oui, monsieur. Laissez-moi lire, me répond-elle sans lever les yeux sur moi.

Je me tourne vers Evelyne :

– Dis, maman n'est pas là. Pourquoi n'est-elle pas encore revenue ?

– Elle est revenue, mais elle est partie à l'hôpital...

– A l'hôpital ? Pourquoi ? Qu'est-ce qu'il se passe donc ?

Je fronce les sourcils. Un accident est-il arrivé ? Evelyne cherche tout de suite à me rassurer :

– Laisse-moi t'expliquer. Ce n'est pas grave. Papa est tombé en sortant de la voiture de la mairie qui le raccompagnait du bureau. Il s'est blessé au genou.

– Ah ! bon. Mais... comment le sais-tu ? Il est venu te prévenir ?

– Non, Mme Michaud, sa collègue, était avec lui. Elle a demandé au chauffeur de conduire papa et elle a couru nous avertir.

– Maman était là ?

– Non, continue Evelyne, elle était sortie faire des courses en fin d'après-midi. Mme

Michaud m'a dit que pour papa ce n'était pas grand-chose mais qu'il fallait demander à maman de le rejoindre à l'hôpital dès qu'elle rentrerait. Voilà, je ne peux pas t'en dire plus, Mme Michaud est partie aussitôt après. Alors j'ai préféré guetter le retour de maman au balcon — tu sais comment elle est, elle voit tout de suite des drames, elle s'affole pour un rien. Quand je l'ai vue, elle arrivait chargée de deux gros paniers, je suis vite descendue pour ne pas qu'elle monte les quatre étages pour rien. Ça n'a pas manqué, dès que je lui ai dit que papa s'était blessé au genou, elle est devenue toute pâle, ça l'a bouleversée, elle a voulu partir aussitôt sans même écouter mes explications. Qu'est-ce que tu veux ! on n'y peut rien, elle voit tout en noir.

J'écoute ma sœur et j'éprouve un sentiment de gêne oppressante sans savoir pourquoi exactement. Mon père n'a pas pu se faire très mal en tombant de voiture, mais enfin j'aimerais bien être rassuré.

— Elle ne t'a pas dit quand elle rentrerait ?

— Penses-tu ! Elle m'a simplement demandé de monter les courses et de m'occuper du dîner.

— Ce que tu n'as pas encore fait ! crie Maryse,

qui émerge enfin de son bouquin, poussée par la faim.

– De toute manière, dis-je, ça ne peut être très grave. Quelle idée de tomber en sortant d'une voiture ! Il faut dire qu'il est assez maladroit pour que cela lui arrive.

– Oh ! oui, il crie toujours après nous quand nous renversons ou quand nous cassons quelque chose, mais lui c'est un peu sa spécialité.

– Où est-ce que ça s'est passé ?

– En haut de la rue, à cent mètres, sur le boulevard Joseph-Andrieu. A l'endroit où la voiture le dépose habituellement quand on le raccompagne. Le chauffeur le laisse là pour éviter d'avoir à faire demi-tour, après il continue tout droit pour déposer Mme Michaud chez elle.

– Et Maurice ? Il est prévenu ?

– Je ne crois pas, mais comme il était cet après-midi à l'hôpital il a peut-être vu papa.

– Bon. En attendant, qu'est-ce qu'on fait ?

– Que veux-tu faire ? Nous allons attendre qu'ils rentrent tous. Il n'y a rien d'autre à faire sinon préparer le dîner et coucher tes frères. Il est déjà sept heures et demie.

Elle se lève et va vers la cuisine. Pendant ce temps, je file dans la chambre de Gérard et Armand dont la sarabande est de plus en plus folle. Ceux-là, si on ne les arrête pas, au bout d'un moment...

— Calmez-vous et rangez-moi un peu tout ça.

Ils ont largement disséminé leurs affaires scolaires dans la pièce et leurs lits sont défaits, on dirait qu'un cyclone a traversé leur chambre.

Une heure plus tard, ni Maurice ni mes parents ne sont encore rentrés et notre inquiétude, que nous avons beau essayer de refouler, croît de minute en minute. Le repas a été relativement calme, mes deux frères ont senti qu'il ne fallait pas trop profiter de la situation et se sont tenus tranquilles; à présent ils sont au lit, Maryse aussi. Par chance, il n'y a pas de concert de casseroles, du moins pour l'instant. Nous avons débarrassé la table et fait rapidement la vaisselle. Evelyne et moi sommes accoudés à la fenêtre de la chambre de mes parents; elle donne sur la rue Lapasset. Nous surveillons en silence le haut de cette petite rue en pente, très peu éclairée, et nous scrutons anxieusement les véhicules qui passent.

A chaque voiture qui tourne le coin, venant

du boulevard, nous tendons le cou, essayant d'apercevoir les occupants. Et les minutes sont longues. Je m'attends à voir déboucher une ambulance ou un taxi si, comme je le pense, mon père ne peut pas marcher, mais à cette heure-ci la rue est presque déserte. Cette attente est pénible, depuis deux heures que nous sommes là sans rien savoir et sans pouvoir rien faire pour avoir des nouvelles; si encore nous avions le téléphone, nous aurions pu appeler! Le froid de la nuit n'ajoute rien de réconfortant à cette situation.

Vers dix heures, c'est enfin un taxi, une 404 marron, qui s'engage dans la rue et vient s'arrêter devant la porte de notre immeuble. La portière arrière s'ouvre. Mais, alors que nous espérons en voir sortir ma mère, mon père et Maurice, ce n'est que ma mère qui, après avoir réglé sa course, pénètre dans la cage d'escalier. Que se passe-t-il ? Pourquoi est-elle seule ? Nous ne comprenons plus. Mon anxiété devient plus forte, mon cœur se met à battre plus vite, comme à l'aube d'une nouvelle inconnue qu'il craint d'apprendre. Déjà, je suis à la porte, je l'ouvre grande. J'entends ma mère qui monte les marches d'un pas lent et fatigué. Elle entre.

Ce n'est plus la même femme qui m'a dit au revoir en m'embrassant sur les joues quand je suis parti au lycée ce matin. A l'air consterné, presque absent de son visage, nous savons alors qu'il s'est passé quelque chose de très grave.

– Maman ! crie Evelyne.

Ses yeux sont rouges. Elle a dû beaucoup pleurer. Sa figure est devenue immensément triste, vide du moindre sourire. Elle semble anéantie comme si une énorme montagne s'était écroulée sur elle et l'avait ensevelie. Et, dès qu'elle nous voit, des larmes grosses et pleines de douleur coulent lentement de ses yeux. Elle s'assoit sur le bord du lit. J'ai déjà vu ma mère pleurer, mais jamais d'une manière aussi grave et muette; elle n'est plus qu'un ruisseau de larmes ininterrompu. Evelyne lui tient les mains.

– Ah ! mes enfants, mes enfants ! finit-elle par dire d'une voix brouillée, votre pauvre père...

Elle ne peut pas continuer. Sa gorge est nouée, et je sens la mienne qui se noue aussi. Je viens de penser au pire : mon père est mort ! Non, ça ne peut pas être vrai ! Mais pourquoi cette histoire de blessure au genou ? Qu'est-ce qu'on a voulu nous faire croire ?

— Mes pauvres enfants (sa voix est lourde de sanglots et de lassitude), on a tiré sur votre père, il a été atteint d'une balle dans la nuque.

— Dis, maman, demande Evelyne en gémissant, maman, papa n'est pas mort, dis ?

Evelyne se met à pleurer et ma mère, dont les pleurs ne s'arrêtent plus, plonge son visage dans ses mains.

Moi, debout contre la porte de la chambre, muet et glacé, j'ai le cœur comme noyé, chaviré. Je ne peux prononcer un seul mot. Cloué par ce que je viens d'entendre, j'ai du mal à réagir. C'est ma mère qui, la première, finit par reprendre le dessus au bout d'une minute. Elle parvient à essuyer ses larmes avec un petit mouchoir trempé qu'elle tient dans le creux de sa main. Elle nous précise enfin :

— Papa est dans le coma, entre la vie et la mort. On ne sait pas s'il vivra. On va l'opérer cette nuit... pour extraire la balle... Ah ! mes enfants (elle se remet à pleurer), si vous saviez, je l'ai vu, on dirait qu'il est mort ! Ils n'ont pas voulu que je reste pendant l'opération.

J'écoute ma mère pleurer et je sens cette émotion qui me gagne, qui m'enveloppe de la tête aux pieds. Mais non, je ne veux pas pleurer, je ne pleurerai pas, je tiendrai bon. Ma mère semble déjà plus rassérénée, depuis qu'elle est rentrée; le plus dur était de nous annoncer cette horrible nouvelle. Maintenant, elle est moins agitée et ses mains ne tremblent plus, elle sent revenir en elle petit à petit cette force et ce courage que j'ai toujours vus dans ses yeux. Evelyne accuse violemment le choc et sanglote éperdument dans les bras de ma mère qui la console de son mieux; sa main caresse tendrement les cheveux d'Evelyne tandis qu'elle nous raconte ce qui s'est passé.

– J'ai retrouvé Mme Michaud à l'hôpital, j'avais l'intuition que c'était autre chose qu'une simple chute de voiture. Elle m'a expliqué comment l'attentat s'était produit. Elle était sortie pour dire au revoir à papa qui se tenait devant la voiture et, juste à ce moment, un Arabe a surgi par-derrière. Elle l'a vu, elle lui faisait face et tout le reste s'est déroulé en une seconde. L'Arabe a appliqué son revolver contre la nuque de papa, il a tiré et s'est enfui à toute vitesse sur une moto où un autre l'attendait, près du trottoir, prêt à démarrer. Ils ont disparu vers le village nègre en un éclair.

– Et papa ?
J'essaie de parler sur un ton calme.
– Il s'est écroulé sur la chaussée comme une masse. On m'a dit à l'hôpital que s'il n'était pas mort sur le coup c'était grâce au col de son manteau qui a un peu amorti le choc de la balle; quand je pense que ce matin il ne voulait pas prendre son manteau et qu'il a fallu que j'insiste pour qu'il le mette !
– Et ensuite, que s'est-il passé ?
– Mme Michaud n'a pas perdu de temps, cette femme a un sang-froid extraordinaire et nous pouvons lui dire merci pour tout ce qu'elle a fait, grâce à sa présence d'esprit. Quand elle a vu votre père (la voix de ma mère se brise à nouveau), ... votre père abattu, perdant tout son sang, elle a ordonné au chauffeur de la mairie, qui avait assisté impuissant à la scène, d'aller très vite au commissariat et de prévenir l'hôpital qu'on allait leur amener un blessé très grave. Alors, juste après son départ, elle a vu une ambulance militaire — dans un sens, nous avons eu de la chance — qui montait le boulevard. Elle l'a forcée à s'arrêter et à emmener papa à l'hôpital.

Nous savons tous que beaucoup de blessés sont morts faute d'avoir été transportés rapidement dans un établissement hospitalier. En général, il valait mieux le faire avant l'arrivée de la police. On a souvent critiqué les policiers qui, au lieu de s'occuper immédiatement des blessés dont les hémorragies réduisaient les chances de survie, établissaient en premier lieu les circonstances de l'attentat en prenant des mesures sur le sol, en recherchant les angles de tir, en interrogeant les témoins pour penser ensuite à demander l'envoi d'une ambulance.

— Mme Michaud a voulu me prévenir dès que l'ambulance s'est éloignée, elle a couru à la maison. Dire que de cette fenêtre on aurait pu assister à l'attentat, à cent mètres d'ici ! Comme elle a vu que je n'étais pas là, elle a préféré ne pas vous dire la vérité et vous a raconté que papa s'était fait mal au genou en sortant de la voiture. Quelle brave femme ! Heureusement qu'elle était là !

— Et les deux terroristes, on ne les a pas retrouvés ?

— Il paraît qu'il y a des types de l'O.A.S. qui ont essayé de les poursuivre en auto, mais les autres avaient trop d'avance, le temps que les gens réagissent... De toute façon, ajoute ma mère après un instant de réflexion,

crois-tu que cela aurait changé quelque
chose ? Cela n'aurait rien empêché; ton père
est sous transfusion et on ne sait pas s'il s'en
sortira. Il y a toujours trop de sang versé.

Je sens bien que pour elle la situation est
assez accablante ainsi et qu'une seule chose
compte, qu'on sauve son mari. Je m'inquiète
de Maurice.

— Il était là-bas ?

— Oui, il l'a su avant moi. Il était dans un
autre service, mais on l'a prévenu tout de
suite et il a pu rester tout le temps près de
papa. Il est encore à l'hôpital pour plusieurs
heures, c'est lui qui a rasé la tête de papa
pour l'opération.

— Mais l'opération, quand saura-t-on si elle
s'est bien passée ? demande Evelyne, enfin
plus calme.

— Demain matin, peut-être. J'y retournerai à
huit heures. Quant à toi, Evelyne, il faudra
que tu restes ici pour t'occuper de tes frères
et de ta sœur.

Evelyne approuve d'un signe de tête.

— Et toi, Lucien, qu'est-ce que tu veux faire ?
Tu es peut-être assez grand pour aller quand
même au lycée demain. Réfléchis. Fais
comme tu voudras. Je vais avoir tellement de

choses sur les bras, j'aurai besoin de votre aide à tous.

— Oui, maman, je crois que tu peux compter sur nous. Il vaut mieux que j'aille en classe. Ici je vais tourner en rond et embêter tout le monde. Et puis je n'ai cours que jusqu'à midi.

— Bien, mes enfants. Beaucoup d'épreuves nous attendent et nous ne savons pas encore ce qu'elles seront.

Pour elle, le plus pénible est peut-être passé. Son courage renaît lentement, mais lorsqu'elle sort de son sac la chemise et la cravate de mon père qu'on lui a rendues à l'hôpital, toutes chiffonnées et tachées de sang, elle ne peut retenir ses larmes.

Un peu plus tard, couché dans mon lit, dans l'épais silence de la maison, je revis toute la brutalité de notre malheur. Ce qui ne constituait pour nous qu'un simple décor vient de faire brusquement irruption dans notre vie ! Avec violence et douleur ! Je touche du doigt cette réalité de guerre. Elle me dit : « Touche, j'existe. Je ne suis ni une fable ni un article de journal. »

Malgré leur nombre de plus en plus grand, j'étais indifférent aux attentats commis chaque jour à Oran et je ne lisais même plus les journaux qui les relataient un à un. Je crois que je vivais dans une certaine inconscience dont on vient de me tirer. Demain, dans *L'Écho d'Oran*, on pourra lire : « Hier, à dix-huit heures quinze, sur le boulevard Joseph-Andrieu, M. Claude Touati, chef de bureau à la mairie et demeurant à la cité Lescure, a été grièvement blessé d'une balle dans la nuque tirée par un terroriste du F.L.N. qui a eu le temps de s'enfuir après son acte. On ne peut actuellement se prononcer sur l'état de M. Touati, encore dans le coma. »

Pour beaucoup de personnes, cela fera partie du quotidien, cela n'aura pas plus d'importance que les autres attentats perpétrés la veille, mais pour moi rien ne sera plus comme avant. Les événements ne seront plus des objets vus de loin, qu'on touche du bout des doigts de temps en temps; la distance s'est considérablement raccourcie, j'ai leur odeur dans les narines.

Tant que de telles choses n'arrivent pas dans sa propre famille, on a du mal à les croire réelles. On en parle, on les voit, dans un certain halo peut-être, mais on ne les ressent vraiment que lorsqu'elles tombent dessus sans crier gare. Et pourtant, pour des milliers de personnes, en Algérie et même en France, des centaines de familles arabes ou européennes, la guerre est bien réelle puisqu'elle les atteint au creux de leur vie familiale en tuant un frère, en blessant une femme, en arrachant un père ou un enfant. La guerre se concrétise alors en leur propre drame.

Et quelle ironie du sort ! Le F.L.N. propage son terrorisme dans les rues des villes et l'un de ses membres, par son geste aveugle, en tirant sur mon père, atteint un des rares Européens qui n'éprouvent aucune haine envers les Arabes et qui, tout au long de leur vie, se sont appliqués à se conduire envers eux avec bonté et honnêteté.

Je ferme les yeux mais l'image du corps de mon père, étendu sur la chaussée, baignant dans son sang, m'obsède toute la nuit.

Chapitre 12

Quand je suis parti le lendemain matin, je n'étais pas très en forme, plutôt abruti par le court sommeil mouvant qui avait été le mien cette nuit. J'ai quitté une maison triste dont l'atmosphère tendue et grave nous imprégnait tous. Maryse et mes deux jeunes frères, mis au courant dès leur réveil, paraissaient atterrés et pour une fois sans voix et sans gestes. Le petit déjeuner a été lugubre, personne n'osait parler. La gaieté et l'entrain habituel de nos débuts de journée avaient disparu.

Cette situation nouvelle les déconcerte, les laisse désemparés. C'est la première fois qu'un tel malheur arrive et, trop jeunes peut-être pour manifester du chagrin, ils restent inquiets, indécis, ne sachant quelle attitude adopter.

J'ai appris en buvant mon café que Maurice était rentré dans la nuit puis était reparti trois heures après. Il a voulu rassurer un peu ma mère en lui disant que la trépanation — car c'est ainsi que s'appelle l'opération que mon père a subie — s'est passée le mieux possible. On a pu retirer le projectile, une balle de 6,35, mais mon père est toujours dans le coma. Maurice a déclaré, d'un ton cynique, que l'opération avait des chances de réussir sans trop de séquelles parce que le chirurgien qui l'a pratiquée, le Dr Morin, commençait à avoir pris la main ! Depuis qu'il fait de telles opérations sur des blessés à la tête par balle, il a acquis une certaine expérience et, c'est évidemment dommage pour les premiers opérés — il évite les erreurs qu'il faisait au début. J'espère avoir d'autres nouvelles plus réconfortantes quand je reviendrai vers deux heures, cet après-midi.

Tout en marchant, je me demande si mes camarades de classe savent que mon père a été victime d'un attentat. J'en doute, car il y en a très peu qui lisent le journal dès le matin. J'espère même que personne n'est tombé dessus, car je ne veux pas en parler. A moins d'y être obligé, je n'ai pas envie que des tas de questions s'abattent sur moi et fassent de moi la vedette du jour.

Le premier que je vois lorsque je pénètre dans le couloir principal est Bressand. Il s'avance vers moi, sûr de lui, un grand sourire illuminant son visage. Il n'a pas remarqué que je suis loin de partager son humeur. Il m'emboîte le pas et m'assène une grande claque dans le dos en guise de salut.

– Dis donc, tu connais la meilleure ? me demande-t-il en éclatant de rire, d'un grand rire gras et franc.

J'ignore quelle astuce vaseuse il a encore mijotée, je ne lui réponds pas. Mais, comme mon mutisme ne l'empêchera pas de parler, je l'attends.

– Tu connais le petit Touati ?

Je sais de qui il veut parler, il fait allusion à mon homonyme. Un gars d'une autre classe, troisième B6. Je le connais, nous ne sommes pas parents, mais nous avons le même nom. C'est un type tout maigre, moustachu, donnant l'impression d'une personne rachitique. Son physique fait un tel contraste avec le mien que c'est très souvent un sujet de plaisanterie pour les copains.

Je grogne entre mes dents :

— Et alors ?

Il se gondole déjà, rien qu'à l'idée de ce qu'il va me dire.

— Tu sais que son père est boucher. Eh bien, j'ai lu dans le journal qu'hier soir on avait fait de la boucherie avec le boucher Touati !

Et il se marre à s'en taper sur les cuisses !

— Ta gueule ! je hurle. C'est mon père !

Ça lui coupe net son fou rire. Il reste bouche bée et ne sait plus quoi dire pour rattraper son erreur; je me demande d'ailleurs comment il a pu commettre une telle bévue, peut-être que le journal n'a pas précisé la profession de mon père. Mais j'aime autant que Bressand ne dise plus rien, je ne vois pas ce qu'il pourrait ajouter pour effacer sa plaisanterie horrible. Quand une gaffe est faite, il vaut mieux ne pas insister. Je m'éloigne, irrité, furieux.

Moi qui pensais pouvoir m'isoler au sein de la classe plus facilement qu'à la maison et ne pas me faire remarquer, je suis servi ! La nouvelle a dû se répandre très rapidement. Je ne sais comment cela s'est produit, mais je m'en rends bien compte. L'attitude à la fois distante et empressée de mes camarades en est une preuve; ils n'osent pas trop me questionner, mais je devine, aux murmures dans les rangs, que l'information a très bien circulé. Et je commence à me demander si j'ai vraiment bien fait de venir en classe ce matin. Je suis brusquement devenu un cas, un grand objet de curiosité. Pourquoi me suis-je infligé ce supplice ?

Au cours de la troisième heure, le professeur de math a l'idée splendide de m'interroger sur le dernier cours. Je me lève, prêt à lui répondre.

— Oh ! non. Oh ! non. Non, monsieur ! crie en chœur toute la classe.

Ce qui évidemment intrigue Fraysse. Il a rarement vu les élèves réclamer ainsi qu'on n'interroge pas l'un des leurs et il se demande qu'est-ce qui se trame là-dessous.

Cette sollicitude un peu forcée de mes copains me gêne, j'aurais préféré que le prof ne sache rien et qu'il se conduise comme d'habitude, mais il est trop tard, Lancrenon est allé au bureau. Il parle à voix basse à Fraysse qui, apparemment, n'en croit pas ses oreilles. Il a l'air stupéfait, comme si c'était la nouvelle la plus prodigieuse qu'il ait jamais entendue, comme si c'était la première fois qu'un attentat se produisait. Mais un gramme d'incrédulité subsiste dans son esprit, il se demande si ce n'est pas une nouvelle forme de chahut déguisée qu'on est en train de lui présenter. L'imbécile, le lourdaud ! Le voilà qui s'approche de moi, toujours debout, immobile et silencieux devant ma table. Il veut la confirmation de ce qu'il vient d'apprendre.

— Ce qu'on me dit au sujet de votre père est exact ?

Derrière ses lunettes, je vois des yeux compatissants mais d'une civilité attristante. Alors je joue le jeu. Ce n'est pas que je n'éprouve aucun chagrin, en pensant à mon père à l'hôpital, mais plutôt que le montrer, que faire sentir ma propre et vraie peine que j'ai enfouie et cachée bien au fond de moi, je préfère jouer à celui qui, accablé par le destin, reste morfondu de douleur. Ce qui immédiatement fait de Fraysse une grosse éponge pleine de commisération et de prévenance à mon égard. Pour un peu, il verserait quelques larmes et me serrerait la main gravement.

— Mon pauvre ami, répète-t-il, mon pauvre ami. Ah ! je comprends, je comprends quel malheur est le vôtre (j'incline la tête lentement à chaque parole). Mon pauvre ami ! Ah ! que la vie est terrible ! Bien entendu, je ne vais pas vous infliger l'ennui supplémentaire d'une interrogation, restez à votre place.

Je trouve qu'il en rajoute un peu trop, il va friser l'obséquiosité s'il continue à compatir comme ça.

– Et vous, messieurs (il se tourne vers la classe), je vous prie de bien vouloir avoir la courtoisie et l'amabilité de respecter les sentiments douloureux dans lesquels est plongé notre pauvre ami.

J'ai presque envie d'éclater de rire tellement je le trouve ridicule dans ses manières compassées. Je me rassois, mais je ne peux retenir l'esquisse d'un sourire. Il l'a remarqué et aussitôt une lueur de doute éclaire son regard. Il ne sait plus très bien si nous ne lui avons pas monté un bateau, mais il ne peut plus revenir sur les mots qu'il a prononcés. Je suis sûr que dès la fin du cours il ira se renseigner pour vérifier si nous ne nous sommes pas fichus de lui. Enfin, au moins j'ai la paix et j'attends la fin de l'heure dans mon coin.

La matinée traîne, je voudrais qu'elle aille plus vite. A présent, je suis certain que j'aurais mieux fait de rester à la maison. Ici tout m'agace. L'attente des sonneries et les regards intimidés de mes camarades n'osant plus m'adresser la parole me portent sur les nerfs. Bressand a dû raconter sa gaffe et refroidir leur envie de me parler.

A treize heures, je peux enfin quitter le lycée après une longue demi-heure de réfectoire pendant laquelle j'ai vainement essayé de manger quelque chose — rien ne passait. Pendant toutes ces heures, je me suis pourtant efforcé de ne pas trop penser à ce qui est arrivé à mon père et à notre avenir incertain. Mais dans la solitude des rues, l'idée que mon père est peut-être en train de mourir revient, s'impose et ne me lâche plus tout au long du chemin. Je m'aperçois que je tiens à lui et que je n'aimerais pas qu'il meure. Faut-il qu'une personne soit entre la vie et la mort pour qu'on se rende compte qu'on l'aime ?

Je n'ai jamais pensé à mes parents comme à des personnes pouvant disparaître et je ne me suis pas posé de questions sur l'affection que je pouvais porter à mon père. Jamais je ne me suis demandé ce que j'éprouvais pour cet homme. La première chose qui m'apparaissait chez lui était son attitude distante vis-à-vis de nous, et la deuxième son goût pour l'autorité. Peu expansif, pas très chaleureux, répondant, aux autorisations que nous lui demandions, cent fois non pour une fois oui. « Par principe, nous disait-il. Si je vous dis toujours oui, vous ne me demanderez plus rien. » Principe de quoi ? Je n'ai jamais su. Peut-être parce qu'il devine que ma mère, qui ne se veut que tendresse et bonté pour ses enfants, dit cent fois oui pour une fois non.

Il a mauvais caractère, tout le monde le sait, même lui, et il a aussi... l'engueulade facile; dès qu'un conflit, même futile, éclate, c'est le tonnerre et les cris. Est-ce pour cela que nous cherchons rarement, mes frères, mes sœurs et moi, à lui faire plaisir et que nous manifestons plutôt notre affection à ma mère ? Pourquoi nous parle-t-il si peu quand il rentre de son travail si ce n'est pour laisser tomber, depuis son front large et têtu : « Mets la table » ou « Descends les ordures » ou « Va aider ta mère » ou encore « Va dans ta chambre » ? Est-ce cela, son rôle de père ? Je ne sais toujours pas, au bout de toutes ces questions, ce qu'est un père, mais je sens que je tiens à celui que j'ai et cela me suffit pour l'instant.

Je rentre à la maison. Tout le monde est à peu près là, ma mère n'est pas encore revenue de l'hôpital. Maurice dort dans la chambre; je n'ai pas voulu le déranger, il doit essayer de récupérer après la nuit blanche qu'il a passée. Je retourne vers la salle à manger, où tous les autres sont rassemblés. Autour de la grande table cirée, d'autres personnes sont assises, que je n'avais pas vues en arrivant; des membres de le famille de mon père et de ma mère. J'avais oublié que l'événement deviendrait une occasion de visites de toutes sortes. Quels moments agréables en perspective ! Déjà, en temps normal, je supporte difficilement tous ces oncles et tantes dont fourmille ma famille. Dans ces circonstances, je sens qu'ils vont m'horripiler encore plus.

Je vois l'oncle Georges, un des beaux-frères de mon père, qui se tient près de la fenêtre, son chapeau sur les genoux, son livre de prières hébraïques dans les mains, les paupières à demi baissées; il récite probablement des versets du Talmud : ses lèvres remuent doucement, mollement. Ce n'est pas vraiment un méchant homme, mais il est superbement croyant avec tout ce que cela comporte de fierté et d'autosatisfaction. Je ne lui conteste pas son droit à la piété, mais il lui faut toujours, quand nous le rencontrons, nous demander si nous sommes allés au temple récemment, si nous avons bien fêté telle ou telle fête, etc., etc. Et chaque fois que c'est avec moi qu'il a ce style de conversation ça tourne mal. Avec beaucoup de gens de ma famille trop curieux, j'ai eu ce genre de problèmes et, quand le fanatisme de leurs propos commence à m'inquiéter, je prends systématiquement la position opposée, ce qui m'a valu d'être considéré comme un cynique et un « sans foi ni loi ».

Et voici aussi la vieille cousine Marcelle. Elle moud du café sur la table tout en conversant avec Evelyne qui pose tasses et soucoupes. A son ton animé et agressif, je suppose qu'elle doit raconter quelque chose comme « Il faudrait les tuer tous, il n'y a que cette solution ». Celle-là, au moins, n'a jamais caché son racisme, elle ne peut pas voir les Arabes ! J'aime autant ne pas lui adresser la parole. Quand quelqu'un se met à nier avec autant de force l'existence de dix millions d'êtres, il est difficile d'avoir une conversation raisonnable avec lui. Pourquoi est-elle venue ? Pour alimenter sa haine ?

Heureusement, Jean-Paul est ici. Lui, s'il est venu, c'est par pure amitié pour mes parents et avec le réel souci de nous aider à surmonter ces heures sombres.

Je les regarde tour à tour sans parler.

– Alors, Lucien, me lance l'oncle Georges qui s'est aperçu de ma présence, c'est comme ça que tu t'inquiètes pour ton père ? Il est couché dans un lit d'hôpital et, toi, tu vas tranquillement au lycée sans te préoccuper de lui !

Quel idiot ! Et que lui dire ? S'il croit que je vais me confier à lui !... Je hausse les épaules sans lui répondre, ce qui l'excite un peu plus.

– Oh ! toi, on te connaît, reprend-il d'une voix irritée, tu n'as pas de cœur. Rien ne pourrait te faire pleurer. Mais ne t'en fais pas, le bon Dieu ne prendra pas soin de toi comme il protège ton père. Alors tu n'as pas de peine du tout ?

Si je lui disais que j'ai mal, il ne me croirait pas. Je prends mon élan et lui dis sèchement :

– Non, je n'ai pas de peine et je m'en fous !

– Oh ! Ça alors !

C'est la cousine Marcelle qui s'exclame ainsi, ne pouvant retenir sa stupéfaction. Evelyne éclate en sanglots. L'oncle Georges est estomaqué. Ça leur fera de la conversation pour les réunions de famille. On parlera beaucoup de ma sécheresse de sentiments.

– Laissez-le tranquille, dit calmement Jean-

Paul. Il est trop jeune, il a besoin qu'on lui fiche la paix.

Il me connaît en fait beaucoup mieux qu'eux.

— Viens, Lucien, on va faire un tour en bas en attendant ta mère. Ça te changera les idées.

Je me laisse emmener par lui. Si je m'écoutais et si je le pouvais, je les mettrais tous dehors et leur interdirais de venir se repaître de notre détresse.

Nous sommes allés jusqu'à Aïn-el-Turck, petite ville à près de quinze kilomètres d'Oran. Je suis monté sur le scooter de Jean-Paul; accroché au pommeau de la selle en caoutchouc, j'ai laissé le vent de la vitesse enlever le gris de mes idées. Nous avons roulé de manière égale, sans échanger de paroles, et c'était bien ainsi. Pendant quelques instants, en laissant mon esprit et mon regard se poser sur le paysage des rues, j'ai pu oublier mes incertitudes et mes interrogations. Nous avons longé le port militaire de Mers-el-Kébir toujours en effervescence et nous avons continué jusqu'aux plages. Désertes mais toujours belles même sous un ciel peu clair, elles descendent vers une mer de décembre, d'un bleu plus sombre. Nous ne nous sommes même pas arrêtés et nous sommes revenus sans hâte, comme si notre seul but était cette promenade sans effort sur la petite machine à deux roues.

Ma mère rentre le soir. Tous les visiteurs sont enfin partis. Elle nous a autour d'elle, attentifs, anxieux et pressés de savoir. Elle est épuisée, bien plus que nous, par tout ce qui s'est passé depuis vingt-quatre heures. Ses traits bousculés et ses yeux rouges témoignent de sa fatigue.

— Mes enfants, quelle épreuve ! (Sa voix reste calme, on y sent même un vrai courage derrière la lassitude.) Enfin, que je vous dise que le chirurgien qui a fait l'opération m'a affirmé tout à l'heure que votre père est sauvé.

C'est un soupir de soulagement général. Elle continue :

— Il m'a dit que l'opération s'est déroulée bien mieux qu'il ne le pensait. Il paraît que la balle s'est arrêtée à deux millimètres des centres vitaux. Elle a buté sur un os. Papa revient de loin, vous savez ! Mais le docteur m'a précisé que nous ne saurons pas avant deux ou trois jours s'il n'y aura pas de séquelles importantes. Deux ou trois jours, et encore cela n'exclut pas qu'il n'y en ait plus tard, dans quinze jours ou dans deux mois. Il a tout de même eu une chance extraordinaire.

– Mais de quelles séquelles peut-il s'agir ? interroge Evelyne. Qu'est-ce que cela veut dire ? Qu'il peut rester aveugle ou sourd ?

– Hélas ! oui, peut-être, intervient Maurice. Sur des conséquences aussi graves que la surdité ou la cécité, au cas où un de ces centres aurait été touché, nous serons assez vite fixés, en fait nous le saurons dès que papa sera sorti de son coma. Mais il peut y avoir des troubles secondaires comme des problèmes de motricité ou de langage ou même, on le redoute parfois dans les trépanations, des troubles mentaux.

Quelle horreur ! Mon père aurait donc frôlé de si près le monde de la mort pour échouer dans celui de la folie ! Je n'ose y penser. Je demande à ma mère s'il a repris conscience dans l'après-midi.

– Pas vraiment, répond-elle. A un moment, il a ouvert les yeux, mais ça n'a pas duré plus de deux secondes; heureusement, à cet instant, je regardais son visage et il m'a semblé qu'il me reconnaissait. Mais, mes enfants, si vous saviez... Il est enveloppé de pansements de la tête aux jambes, partout, autour du cou, des épaules. Et tous ces tuyaux, ces perfusions. Comment aurait-il pu parler, bouger ?

— De toute manière, ajoute Maurice, même s'il avait suffisamment repris connaissance et s'il avait voulu te parler, il n'aurait pas pu le faire à cause de sa trachéotomie.

— Ah ! dis-je, qu'est-ce que c'est ? — certain que Maurice n'attend qu'un peu d'encouragement pour faire l'étalage de ses toutes dernières connaissances médicales.

Nous sommes très attentifs.

— Une incision de la trachée-artère au niveau de la base du cou. Là, dit-il en montrant avec son doigt le creux que fait le larynx un peu au-dessous de la pomme d'Adam.

— Et pourquoi, demande Maryse d'un ton apeuré, on lui a fait une... trachéotomie ?

— Les gens qui tombent dans le coma, quelles que soient les causes à l'origine de ce coma, c'est-à-dire de ce sommeil plus que profond, meurent souvent parce qu'ils ont perdu le réflexe de respirer et que, ne respirant plus, ils s'asphyxient. Alors, avant toute chose, on pratique sur eux une trachéotomie. Au niveau de cette incision, on coince avec du sparadrap un tuyau qui envoie sans arrêt de l'oxygène dans la trachée-artère et, de là, aux poumons. Ainsi on force un blessé inanimé à respirer.

– C'est une espèce de respiration permanente artificielle ?

– Si on veut. Ça a pour conséquence, lorsque le malade sort du coma, de l'empêcher de parler, puisque pour articuler et prononcer des mots il faut qu'il y ait une circulation d'air dans la bouche et que dans son cas l'air arrivant au niveau de la trachée ne parvient pas à former des sons.

– Mais alors, dit soudain Evelyne, il va avoir une cicatrice dans le cou et...

– Si tu crois que cela a de l'importance, ma fille ! Du moment qu'il est vivant et de retour parmi nous !

Maintenant qu'elle sait que le pire est évité, ma mère reprend confiance. Elle nous raconte combien sa journée à l'hôpital a été pénible. Mon père est dans une salle commune de huit blessés, huit personnes ayant toutes subi une trépanation, allongées dans un lit, plus ou moins conscientes. Les gémissements des malades, les pleurs des parents en visite, le va-et-vient des infirmières et des médecins, les odeurs fortes de médicaments et de pansements, tout contribue à charger le moral. Sans compter qu'elle a dû répondre d'abord aux diverses questions des officiers de police chargés de l'enquête et ensuite à celles des deux responsables de l'O.A.S. venus eux aussi faire leur propre enquête. On croit que mon père a été particulièrement visé, que son attentat a été prémédité. Le F.L.N. aurait voulu, en s'attaquant à un fonctionnaire européen, montrer son hostilité à l'administration en place. Mais nous savons bien, nous, qu'il s'agit d'une fatalité absurde : non seulement mon père n'est pas une personnalité de la ville, mais encore il n'a jamais fait partie de l'O.A.S. et ne s'est jamais prononcé contre les Arabes. Le maire a quand même envoyé un télégramme à ma mère, dans lequel il dit qu'il compatit à notre douleur et qu'il nous assure que tout sera fait pour garantir les meilleures chances de rétablissement à mon père.

Juste avant que nous allions nous coucher, ma mère nous demande si quelqu'un veut l'accompagner le lendemain à l'hôpital.
— Moi, je veux bien, dis-je avant que quelqu'un d'autre ne se propose.
— Bon, maintenant allez tous au lit, mes enfants, et remerciez le Ciel d'avoir gardé papa en vie.

Chapitre 13

Il est neuf heures, je finis de m'habiller dans ma chambre.

– Lucien, ton copain René t'attend en bas. Il veut te voir, me dit Gérard, qui revient des commissions avec un sac rempli de baguettes de pain et de bouteilles de lait.

– Ce n'est pas mon copain, lui dis-je. Qu'est-ce qui l'amène ?

– Ah ! ça, je n'en sais rien. Je l'ai vu en montant. Il a l'air d'attendre. Je lui ai dit de monter, mais il a refusé, il préfère que toi tu descendes.

Quel idiot ! Je parie qu'il veut me manifester sa sympathie. Peut-être espère-t-il de moi des détails, le récit complet de l'attentat de M. Touati. Comme s'il n'y avait pas assez de

descriptions de ce genre dans les journaux !
Je lace mes chaussures, enfile ma veste et
claque la porte.

Une jounée qui commence bien mal. J'ai
peu dormi et je me suis réveillé avec une
migraine, ce doit être les rêves violents que
je fais qui me procurent ce mal au crâne. Le
temps aussi se met de la partie avec un ciel
vert mouillé et des courtes rafales de vent.
En plus, ce René qui veut me parler. Ah !
quel jeudi !

Il est dans l'entrée de l'immeuble. Toujours dans son imperméable vert sale, il
marche de long en large, une cigarette au
coin des lèvres et l'air mystérieux d'un
conspirateur.

— Bonjour, Lucien. Comment vas-tu ? me
demande-t-il en me serrant la main.

— Salut, René, ça va.

Je reste un peu sur la défensive, je n'ai pas
envie d'aller au-devant de ce qu'il veut
savoir. Je ne lui répondrai que le stric
minimum.

— Tu as des nouvelles de ton père ?

Il me tend son paquet de cigarettes, des
Lucky Strike, à moitié chiffonnées.

— Non, merci, lui dis-je en refusant d'un

geste de la main. Des nouvelles de mon père ? Non, pas vraiment. On sait qu'il n'est pas mort, c'est tout. J'espère en apprendre plus ce matin, je vais avec ma mère à l'hôpital.

— Quand même, ces salauds d'Arabes ! s'exclame-t-il. Quand je pense qu'on n'a pas pu empêcher ça, ni rattraper ces bicots ! Qu'est-ce que tu comptes faire maintenant ? Je suis prêt à t'aider.

— Qu'est-ce que tu veux que je fasse ? Je n'ai pas l'intention de faire quoi que ce soit. Tu aurais voulu que j'aille lancer des bombes dans le quartier arabe ?

— Non, pas comme ça, pas là-bas, tu risquerais de te faire descendre. Il faut que tu venges ton père, c'est surtout pour ça que je suis venu te voir; tu ne peux pas laisser ce qu'ils ont fait sans représailles. Il faut leur faire payer !

— Ah ! bon ! Et qu'aimerais-tu que je fasse ?

Je me demande où il veut en venir et ce qu'il attend de moi; il a certainement une idée derrière la tête.

— Écoute, me dit-il à voix basse, tu sais très bien que l'O.A.S. contrôle pratiquement toute la ville et qu'elle te protégerait si... (il baisse encore la voix, qui n'est plus qu'un murmure)... si tu descends un Arabe dans la rue avec mon revolver.

— Non, mais ça ne va pas ?

J'en ai le souffle coupé. C'est encore plus ahurissant que je ne le pensais. Il reprend de plus belle :

— Mais si, je suis prêt à te le passer, tu n'auras qu'à te pointer près du village nègre et le premier raton que tu vois, tu le flingues... Personne ne te dira rien.

— Tu es complètement fou !

Il a déjà sorti son arme, il me la tend par le canon. Mais je ne veux pas la prendre, me laisser séduire par le pouvoir exorbitant de cette machine capable de distribuer la mort si facilement. C'est vrai que dans mes cauchemars, depuis deux nuits, je me vois plongé dans des actes de violence insensés. Que dirait ma mère ? Je ne crois pas que ce soit cela qu'elle souhaite.

— Range ce revolver, René, remets-le dans ta poche, je ne veux pas m'en servir.

J'entends mon cœur battre comme un gros réveil dans ma poitrine. Si quelqu'un entrait et nous voyait discuter à propos de cette arme... et si, bêtement, par pure excitation, René appuyait sur la détente... Nerveux comme un ressort, il a les yeux qui clignent et les mains qui tremblent.

– Alors, tu ne veux pas venger ton père et tuer l'Arabe qui a failli le descendre ?

– Enfin, mais tu ne comprends pas que cela ne changerait rien, que ce n'est pas plus tel ou tel Arabe qui a tiré sur mon père et que ce sont les événements qui ont failli le tuer et qui tueront encore des Européens et des Arabes ! Tu ne vois pas que ce n'est pas sur mon père qu'on a tiré mais sur l'Européen qu'il représente ? Tu ne crois pas que ce serait un engrenage infernal et qu'il faut sortir de cet enfer, que cette guerre finisse ? Tu es fou, René !

Car je sais qu'il ne comprendra pas. René n'est fait pour aucun dialogue, il fait partie des gens qui vivent d'une idée fixe et il ne voit plus que sa haine des Arabes.

– Mon vieux, même si je faisais ce que tu me demandes, je ne crois pas que j'obtiendrais l'approbation de mon père et ce ne serait pas le genre d'attitude qui aiderait ma mère à supporter cette épreuve.

René glisse l'arme à feu dans son imper avec un soupir évident de découragement.

– Toi, mon vieux, tu es unique, ajoute-t-il méchamment. Enfin, si par hasard tu changes d'idée, viens me voir au café cet après-midi, j'y serai. Il paraît qu'il y aura une ratonnade vers cinq heures.

– Ne compte pas sur moi. Je sais. Je te surprends sans doute, mais ça ne fait rien, c'est mon problème.

Il opine de la tête comme s'il comprenait, mais ses pensées sont ailleurs, peut-être déjà au cœur d'une partie de flipper.

L'entrée de l'hôpital est gardée par deux camions militaires; les soldats, armés de mitraillettes, stationnent devant la porte principale et contrôlent les arrivants. Là aussi, depuis les attaques par des commandos F.L.N. ou O.A.S. entrant de force dans les salles et tirant sur les blessés impuissants dans leur lit, l'armée prend des précautions et surveille attentivement les mouvements aux alentours des établissements hospitaliers. Les visiteurs doivent se soumettre aux contrôles. A l'intérieur, leurs voitures ne sont pas admises, seules passent les ambulances et les jeeps de l'armée.

L'oncle Émile, qui s'était proposé de nous conduire, est venu nous chercher vers dix heures. Il a un crâne chauve impressionnant mais aussi un visage franc et ouvert. Lui, au moins, reste discret dans l'aide qu'il nous apporte et il agit simplement. Il range sa 404 sur le parking extérieur et nous nous dirigeons vers la loge d'entrée. Là, devant un caporal à la moue suspicieuse et aux gros sourcils belliqueux, il nous faut décliner nos identités et ma mère montre le papier qu'on lui a délivré hier et qui prouve bien que son mari est un blessé de l'hôpital.

Ces formalités accomplies, on nous laisse entrer en nous indiquant le bâtiment E3 — celui des blessés graves —, la salle n° 2 — celle des trépanés. Mais ma mère connaît déjà le chemin. Nous marchons rapidement dans les allées, sur lesquelles une petite pluie douce s'est mise à tomber. Son mince piétinement régulier laisse deviner qu'elle durera toute la journée. Dans les couloirs du bâtiment, l'odeur caractéristique des hôpitaux est si forte qu'elle pique le nez; elle évoque à la fois l'éther, l'alcool, les médicaments et les pansements. Tout cela surchauffé par la grande température qu'on y maintient. S'ajoute encore le bruit incessant de toutes les personnes affairées qu'on y rencontre, infirmières, médecins, femmes de service. Tout ce monde s'occupe de malades gémissants au chevet desquels attendent des visiteurs tristes aux yeux fatigués.

Tout n'est que douleur et indifférence : douleur des blessés poussant parfois des cris violents en se retournant dans leurs draps, douleur des visages affligés de ceux qui sont venus les voir et qui ne peuvent rien faire sinon leur tenir la main sans rien dire; indifférence affectée, presque volontaire, de tout un personnel habitué à ce spectacle quotidien, pour qui la souffrance est quelque chose comme un banal bruit de fond. Dans cette atmosphère lourde où la vie coule au ralenti et parfois s'arrête, je me sens mal à l'aise avec une douce envie de vomir au bord de la gorge.

Dans la salle où est mon père, le bruit est encore plus fort; on vient de ramener de la salle d'opération un nouveau blessé sur un grand chariot métallique et plusieurs personnes sont là autour de lui pour le mettre, inanimé, dans son lit. Dans cette pièce trop largement éclairée, on étouffe, elle n'a rien d'un lieu de repos. Les huits lits sont alignés contre le mur; celui de mon père est au bout, près de la fenêtre grillagée. Nous nous approchons en nous frayant un chemin à travers les tables roulantes et les infirmières.

Il est immobile. Les yeux fermés, le buste légèrement relevé par des coussins. Les draps remontent jusqu'à sa poitrine et tout ce qu'on peut voir de lui est recouvert par de larges bandages blancs. De sa tête on voit à peine la bouche, le nez et le bord des yeux, on dirait un masque de mort tant sa peau a pris une teinte unie et dense comme l'opaque d'une bougie. Une momie alimentée par des tuyaux. Il paraît ainsi étrangement ailleurs, silencieux, retiré du bruit ambiant; il est devenu un être abstrait, presque un symbole de lui-même. Nous penserions qu'il est mort si ce n'était le mouvement imperceptible de sa poitrine que nous remarquons à cause du léger sifflement qui l'accompagne.

Je sens mes yeux qui se brouillent. L'oncle Émile me retient par le bras. Ma mère se tient devant le lit, ses deux mains reposent sur la barre chromée et des larmes descendent sur ses joues. Dans son intense émotion, elle ne peut que murmurer à plusieurs reprises : « Mon Dieu, mon Dieu ! »

Mon oncle me dit :

– Viens, sortons, cela ne sert à rien, attendons ta mère dehors.

Je le suis sans protester. Je repense à mon père, enfilant son léger pardessus le matin, parlant, agissant, vivant, et le voici deux jours après couché, telle une statue sinistre plantée à la frontière de la mort et de la vie. Il est dur d'accepter cette vision, d'y croire, de l'admettre comme vraie; tant que je n'avais pas revu mon père, ce qui lui était arrivé restait quelque chose d'un peu flou, mais à présent il me faut bien en prendre conscience totalement.

Je préfère patienter dans l'allée, dehors sous les petites gouttes de pluie, et essayer de ne penser à rien. J'ai besoin de courage pour affronter cette réalité si persistante. Nous attendons plus d'une demi-heure. Mon oncle parle peu et c'est très bien comme ça; s'il y a une envie que je n'éprouve pas, après avoir vu mon père, c'est bien celle de parler.

– Tiens, la voilà qui revient, dit mon oncle.

Ma mère se tamponne les yeux avec son mouchoir roulé en boule et tout de suite nous parle :

– Il a repris conscience pendant une minute, nous dit-elle d'une voix fêlée; mon Dieu, il m'a reconnue, il a vu que j'étais là et ses yeux m'ont fixée pendant quelques secondes pour me dire qu'il était vivant. Et ses lèvres ont remué. Il n'a pas pu parler, mais j'ai lu, il me disait : « Occupe-toi des enfants. »

– Soyez courageuse, Yvette, dit mon oncle, tout ira bien, vous verrez; d'ici quelques jours Claude aura récupéré, il pourra se lever, vous parler. Il faut simplement lui donner le temps de se reposer après un tel choc.

– Mais vous voyez comme il peut se reposer, ici ? Vous avez entendu tout ce boucan ? Quelle atmosphère ! Comment voulez-vous qu'un homme gravement blessé puisse reprendre des forces dans une salle où il y a près de vingt personnes en permanence ! Non, ce n'est pas possible ! Ça va le tuer pour de bon !

– Calme-toi, maman. Dès qu'il sera transportable, il faudra le mettre en clinique.

– Oui, et le plus tôt sera le mieux. Je n'en veux pas aux gens de l'hôpital, ils font tout ce qu'ils peuvent, mais ils n'ont pas assez de place. Dès qu'on le pourra, je le ferai transporter à la clinique Couniot où il aura une chambre particulière, ils ont tout ce qu'il faut pour continuer les perfusions et les soins. Je vais aller voir le Dr Morin, il me dira quand on pourra le sortir de cet horrible hôpital !

Le visage de ma mère a perdu sa tristesse à présent, il reflète plutôt l'envie d'agir. Elle est presque furieuse à l'idée qu'on puisse négliger son mari dans cette usine à blessés. Je la préfère ainsi, prête à faire des pieds et des mains pour vaincre.

– Il faut que j'aille d'abord à l'administration centrale, il y a encore des tas de papiers que je n'ai pas remplis et j'ai l'impression que ce ne seront pas les derniers ! Dire que remplir les papiers, c'était la spécialité de ton père et que pour rien au monde il n'aurait voulu que je touche à ses dossiers de Sécurité sociale ! Il verra que je peux m'occuper de ça aussi.

Quand nous rentrons à la maison, au début de l'après-midi, le cycle des visites qu'on nous rend ou qu'on se croit obligé de nous rendre a repris sur un bon rythme. Et la pauvre Evelyne est là, à lancer à droite, à gauche, des « Eh oui », des « Ah ! la, la ! » tout en servant des tasses de café ou de thé et en poussant les assiettes de petits gâteaux vers les visiteurs, véritables machines à lamentations. Ils sont tous à répéter « Que c'est triste ! », « Quel malheur ! », « Ce pauvre Claude ! » sans oublier de se passer les plats. Je suis surpris d'apprendre que notre famille comporte autant de membres, oncles et tantes, cousins et cousines, plus ou moins vrais, plus ou moins éloignés. La salle à manger en est bourrée et notre appartement sur le point d'éclater. Certains, je ne les ai jamais vus. D'autres, à peine une ou deux fois en mes quatorze ans d'existence. Et ce sont surtout ceux-là qui font comme s'ils étaient le plus touchés par ce qui nous arrive et qui parlent le plus haut de vengeance, de représailles et de... miséricorde divine ! Ah ! la famille ! Devant un spectacle aussi affligeant, j'aime autant me retirer dans ma chambre avec un bouquin en attendant l'entracte. Je fais confiance à ma mère pour maîtriser cette foire aux plaintes et aux cris en gavant tous les participants de gâteaux et de confiture d'orange. Dans un sens, ce n'est pas plus mal qu'elle ait ces gens à recevoir et une masse de choses à faire. L'action l'empêchera de s'apitoyer sur notre sort et, quand elle aura le temps d'y songer, le plus dur aura été fait. Espérons-le.

Chapitre 14

Six jours se sont passés et beaucoup de choses avec. Je n'ai pas revu mon père depuis jeudi. J'ai retrouvé le chemin du lycée. Suivre les cours normalement, faire comme si rien de grave n'était arrivé n'a pas été sans problèmes. Dès vendredi, tous les professeurs étaient au courant et chacun se croyait obligé de m'adresser quelques mots de sympathie et de me demander des nouvelles. En attendant, pendant quelques jours, aucun n'a osé me faire passer au tableau, et il est vrai qu'avec le remue-ménage qui s'est instauré à la maison je n'ai pas le temps d'apprendre des leçons ou de préparer des devoirs.

Ma mère a préféré que je reste à la maison

en dehors des heures de classe ou d'étude. Elle est plus tranquille quand elle nous sait tous ensemble. Elle est retournée à l'hôpital chaque jour auprès de mon père, qui peu à peu a repris conscience. Le docteur a jugé qu'il était transportable et, lundi, une ambulance l'a conduit à la clinique, où il a enfin, d'après ma mère, le calme et le repos nécessaires à son rétablissement. On nous a dit qu'il fallait s'attendre à une très longue convalescence, plusieurs mois. Mais le médecin trouve que mon père réagit bien et il met cela sur le compte de sa forte résistance.

Depuis deux jours, il parle, difficilement certes, mais il parle et il entend. Mais que sait-on encore de sa vision ou de son aptitude à tenir des objets ? Rien.

Je reviens du lycée après une matinée maussade. Je compte passer mon mercredi après-midi à la clinique et j'ai quelque appréhension. « Sa chambre est au septième étage, n° 71 », m'apprend l'infirmière du bureau d'accueil quand j'arrive dans le hall confortable et silencieux de la clinique.
– Jeune homme, me lance-t-elle, me voyant partir en courant, n'oubliez pas que votre père est un grand blessé qui a besoin de

repos. Sa chambre n'est pas une salle de jeux.

Quel contraste avec l'hôpital ! On se croirait dans un grand hôtel de luxe, les murs ne sont pas blancs mais rose léger ou crème. Une température douce, un calme parfait. La clinique paraît coupée de l'agitation extérieure. Je monte dans l'ascenceur réservé aux visiteurs. Arrivé devant la porte de sa chambre, je m'arrête. Comment est-il ? Ce matin, ma mère m'a prévenu que la pièce serait dans une demi-obscurité et m'a recommandé de ne pas tirer les rideaux; la lumière du jour est trop violente pour mon père, il doit s'y réhabituer progressivement.

J'entre doucement, presque sur la pointe des pieds, et referme la porte derrière moi. Mon père dort dans son lit, il ne m'a pas entendu. La pièce est sombre, mais je distingue son corps, couché dans un pyjama que je ne lui connaissais pas, la tête entièrement rasée enfoncée dans un oreiller blanc. Je le reconnais à peine tant il paraît plus grave et tant ses traits sont tirés. Il n'a plus aucun tube ni tuyau, ni dans la gorge ni dans les bras, et on lui a retiré tous ses pansements pour que la cicatrisation s'effectue mieux. Il est surprenant, il ne m'a jamais paru beau avec son grand nez au bout carré et ses joues lourdes, mais ainsi il est presque effrayant.

J'ai dû faire quand même un peu de bruit en tirant une chaise vers le lit, il ouvre les yeux et m'aperçoit.

– Ah !... c'est toi..., Lucien... Je suis... content... de te voir... Je suis content...

Sa voix est lente, fatiguée et ses mots sont hachés et toujours avec ce léger sifflement qui part de son cou et qui les ponctue. La cicatrice de sa trachéotomie n'est pas encore complètement refermée.

– Oui, papa, moi aussi, dis-je d'une voix étranglée.

J'ai un brusque élan vers lui et je l'embrasse sur ses joues piquantes.

– Tu es venu... me voir..., mon fils..., c'est gentil...

– Ne te fatigue pas, ne parle pas trop, papa. Ils t'ont fait une sacrée opération, tu sais.

– Oui, grâce... à Dieu... je suis... vivant...

Je n'ai pas envie de lui répliquer que c'est peut-être aussi grâce à Dieu qu'on a tiré sur lui. J'ai souvent pris un malin plaisir à discuter avec lui en prenant le contrepied de tout ce qu'il disait, mais ce n'est plus le moment. Avec beaucoup d'efforts, il se redresse sur le lit.

— Regarde, dit-il en tournant la tête.

Sur son crâne rasé serpente une large cicatrice qui part plus haut que chaque oreille, presque au milieu de la tête, et descend jusqu'à la nuque. Il me rappelle ce Frankenstein que j'ai vu dans un film d'épouvante; sa faiblesse extrême, ses gestes lourds et parfois incomplets renforcent cette image d'un homme qui revient de l'au-delà.

— Eh bien, dis donc, quel travail ! J'espère que cela ne se verra plus quand tes cheveux auront repoussé.

— Oui..., mon fils..., mais l'important... est...

Ses difficultés à parler sont augmentées par le fait que les mots ne semblent pas lui venir rapidement à l'esprit. Ma mère nous a raconté que les premiers jours, très souvent, il employait un mot pour un autre.

— Que... je sois... en vie...

Cette recherche permanente l'épuise, son front transpire. Mon père est vivant et cette évidence lui suffit. Lui qui est passé si près de la mort est heureux de se sentir encore de ce monde. Mais moi qui ne peux penser à lui que par rapport au moment où il était en pleine possession de ses forces physiques et mentales, je ne parviens pas à admettre qu'il est devenu aussi faible et aussi inexpérimenté qu'un petit enfant de deux ans. Je souhaite que ses progrès soient rapides, je n'aime pas cette impression d'un père plus jeune que moi.

Parfois il écorche ses phrases sans s'en rendre compte, comme si tout le reste de son être était en sommeil et ne devait réapparaître que plus tard. Peut-être tout a-t-il été bousculé dans son cerveau, son vocabulaire, ses connaissances, ses souvenirs. Peut-être sont-ils pêle-mêle et un gros travail de rangement sera nécessaire avant que tout puisse fonctionner ensemble à nouveau.

Il me demande de lui lire le journal qu'on lui a apporté ce matin. Qu'il veuille se tenir au courant est un très bon signe. A part quelques articles consacrés à ce qui se passe dans le monde, l'essentiel reste le compte rendu de la situation en Algérie. En France, les pourparlers avec le F.L.N. en vue des accords pour l'indépendance ont repris. Mais, à l'intérieur des terres et dans les villes, la guérilla et les attentats terroristes des deux parties, emportées dans une folie sombre et aveugle, continuent de plus belle. Les affiches et les drapeaux noirs de l'O.A.S. sont de plus en plus présents dans les rues, l'organisation n'hésite plus, elle assassine les

Européens sympathiques à la cause des Arabes et force les indifférents à prendre parti, les musulmans rencontrés en ville sont impitoyablement poursuivis et lynchés. Mais le F.L.N., fermement décidé à faire crever de peur tous les Européens en les frappant au hasard, propulse en ville de plus en plus de commandos chargés de jeter bombes et grenades.

Je lis à mon père les détails des derniers attentats qui se sont produits la veille. Des personnes meurent, des gens sont grièvement blessés, des maisons sautent, des voitures piégées explosent. Le tourbillon de la violence a pris Oran comme il a pris toutes les villes d'Algérie et il nous emporte comme des brins de paille. Mais personne ne dit nulle part quand la fureur tombera.

A quatre heures et demie, une infirmière entre avec un plateau. C'est une jeune dame blonde, toute ronde et souriante, avec des gestes maternels. Rapidement, en quelques minutes, mais sans rien perdre de sa douceur, elle arrive à faire une piqûre dans la fesse droite de mon père, à prendre sa température et à lui donner, à la petite cuiller, de la compote de pommes. Je m'amuse à voir mon père se laisser faire sans protestation. Cela dissipe le mélange de tristesse et d'ennui dans lequel j'étais tombé peu à peu. Je n'aime pas les hôpitaux, ni les cliniques, je m'y ennuie très vite, l'espace clos de la chambre devient pesant. Mon père a été trop secoué pour trouver sa situation sans intérêt; au contraire, il semble avoir tellement de choses à réapprendre qu'il est loin de regarder la vie, même en clinique, sous un angle fade. On dirait qu'il vient de renaître.

Chapitre 15

Les enquêtes n'ont rien donné. On ne saura jamais quel est l'Arabe qui a tiré sur mon père ni pourquoi il l'a fait. Depuis hier, la police a officiellement classé l'affaire.

Au dire du chirurgien qui l'a opéré et des deux médecins qui le suivent, les progrès de mon père sont stupéfiants. Voilà tout juste un peu plus de deux semaines que l'attentat a eu lieu et déjà mon père arrive à se lever et marcher dans sa chambre, il a retrouvé toute sa conscience d'esprit à présent et s'exprime comme avant; il parvient même à lire pendant quelques minutes. Seuls ses gestes sont encore lents et malhabiles.

— Il faudra prévoir une très longue convalescence, a répété le Dr Morin, avec beaucoup de calme et de silence.

Il a ajouté une sévère mise en garde :
– Je ne crois pas que le climat de guerre soit propice à son rétablissement. Ses nerfs ont été ébranlés. Et il lui faut se reposer dans une atmosphère de sécurité; qu'il oublie donc la guerre d'Algérie !

En attendant, ma mère ne désespère pas d'obtenir du médecin l'autorisation de le faire rentrer à la maison où, pense-t-elle, elle prendra mieux soin de lui. Dans trois jours c'est Noël et ma mère aimerait bien que nous le passions tous ensemble réunis. Elle a beaucoup parlementé avec l'homme de médecine en lui assurant à maintes reprises que l'affection de la famille serait un facteur de réadaptation plus rapide. Il a répliqué qu'il n'était pas indispensable de se dépêcher, qu'au contraire, pour éviter toutes séquelles graves, il fallait que mon père prenne tout son temps; d'ores et déjà il a un congé de maladie d'un an, prolongeable s'il le faut. Néanmoins, comprenant le désir de ma mère d'avoir son mari chez elle, il a accepté. Demain, mon père sera là, il retrouvera sa chambre et nous reverra tous.

Entre-temps, j'ai eu quatorze ans le

14 décembre, mais, avec tout ça, mon anniversaire est passé inaperçu, et je le comprends. Mais ma mère, malgré ses multiples soucis, a pu m'acheter un pull marron trop grand; ça ne fait rien, je le mettrai quand même avec plaisir.

En classe, on a enfin cessé de parler de l'attentat; les profs, rassurés sur le sort de mon père, recommencent à m'interroger — on se lasse vite d'un événement, et puis tellement d'autres se produisent chaque jour; sauf Bressand, toujours brave type, qui s'en veut d'avoir fait une aussi grosse gaffe et qui me demande des nouvelles tous les deux jours. Ce soir, nous sommes en vacances.

J'ai écrit à Wilfred à Grenoble pour lui annoncer la nouvelle; il ne m'a pas encore répondu. Dans sa première lettre, il me parlait du froid, des gens distants, de la ville hostile mais aussi de sa joie d'être enfin dans un pays où le risque d'une balle ou d'une grenade n'est pas à tous les coins de rue, où aller au marché ou au cinéma ne constitue pas une aventure mais fait partie des actes courants d'une vie normale. Je me demande ce qu'est une vie normale. Certainement pas celle que nous avons ici, à Oran. Il y a eu un jour une vie normale, mais il y a tellement longtemps que j'en ai perdu le souvenir. Non, ce n'est pas une vie normale quand les charges de plastic nous réveillent la nuit et quand sur les murs des inscriptions menaçantes s'étalent et se contredisent : L'ALGÉRIE RESTERA FRANÇAISE, LE F.L.N. VAINCRA.

Un jour peut-être, je comprendrai toutes ces contradictions qui, en attendant, ont presque coûté la vie à mon père.

Il est midi. L'ambulance longue et blanche de la clinique vient se ranger juste devant l'entrée de l'immeuble. En cette veille de Noël, le ciel est clair, le soleil est présent. Nous attendons tassés sur le balcon le retour de mon père. Nos voisins le savent, eux aussi, qui sont sortis à leur fenêtre et regardent le « revenant » couché sur un brancard que deux infirmiers tirent du véhicule. Maurice aide mon père à se mettre debout. Il tient à monter les quatre étages tout seul. Avant de s'engager sous le porche, il a un regard ému vers nous là-haut qui ne le quittons pas des yeux. Mme Garcia est venue lui serrer la main, elle a la voix humide et lui exprime en quelques mots sa joie de le revoir vivant. Encadré, soutenu par ma mère et Maurice, il avance à petits pas. Heureusement, nos marches ne sont pas hautes et chaque étage est coupé en deux par un faux palier. Nous avons tous reflué vers la porte, que nous ouvrons grandement, et nous avons ainsi des échos de leur montée.

– Doucement, mon chéri, répète ma mère sans arrêt, nous avons tout le temps.

Et ils continuent après une courte halte.

Au troisième étage, un autre voisin, M. Guitton, a tenu à saluer mon père et lui dire sa sympathie. Enfin les dernières marches sont franchies. Mon père entre dans le couloir. Il serre chacun de nous, l'un après l'autre, contre lui. Son visage est heureux. Les petits cheveux noirs qui commencent à recouvrir sa tête lui donnent un air plus jeune et presque comique.

Malgré sa fatigue, il veut faire le tour de l'appartement comme s'il y entrait pour la première fois. Puis ma mère le fait asseoir à table à sa place habituelle; elle a fait un énorme couscous au poulet. Nous nous asseyons tous. Alors mon père nous regarde longuement, il regarde sa femme et ses six enfants réunis autour de lui. Il sent combien il s'en est fallu de peu pour qu'il ne nous voie plus jamais. Et, pour la première fois depuis que je le connais, je le vois pleurer. Devant nous, sans dire un mot, il laisse couler deux grosses larmes tandis que sa femme pose tendrement son bras autour de son épaule.

Chapitre 16

Les vacances de Noël n'ont pas été très gaies pour mon père et en fin de compte peu reposantes. D'abord parce que nous sommes tous en congé et que nous restons à la maison tout au long de la journée — l'appartement devient alors singulièrement exigu et nous butons les uns sur les autres. Ensuite parce que pendant près de quinze jours les visites n'ont pas cessé de se succéder. Il y a bien sûr la famille, dont tous les membres plus ou moins éloignés éprouvent le besoin de voir celui qui est encore vivant, et puis toutes les relations professionnelles de mon père, ses collègues et ses employés. Je crois bien que tous les membres de son service ont défilé chez nous. Pas moins de cinquante-six personnes rien que pour la mairie !

Nous, au milieu de toutes ces visites, nous commençons à en avoir marre. Ça fait un mois que ça dure ! Mais mon père, bien que cela compromette son repos, apprécie tous ces déplacements de personnes vers lui. Il est tout fier de la considération que brusquement tout le monde lui porte et il ne se fait pas prier pour raconter son attentat, mais, comme le type est arrivé par-derrière et que mon père n'a rien pu voir, son récit se borne à peu de chose.

Ma mère, outre ses problèmes de mère et d'épouse, s'est vu rajouter ceux d'infirmière garde-malade. Depuis l'attentat, elle est sous pression et s'occupe de tout toute seule. Il serait temps pour elle qu'elle prenne quelques jours de vacances, mais tant de choses restent à faire et mon père a encore besoin de tant de soins ! Malgré les nombreux somnifères et calmants que le médecin lui a ordonnés, il dort très mal et souvent, réveillé au milieu de la nuit par l'explosion d'une charge de plastic, il est attaqué par une épouvantable migraine qui l'empêche de se rendormir. Alors, à moitié délirant, il réveille ma mère en l'appelant à son secours.

Tous les trois jours, un médecin vient le voir pour surveiller son cœur et sa tension artérielle. Il s'inquiète des conditions de repos de mon père et dit à chaque fois : « Ici, ce n'est pas l'endroit idéal. »

Ma mère, harassée de travail, ne voit pas d'autre solution pour l'instant. Seule ma sœur Evelyne l'aide dans son ménage et dans ses courses. Nous, les garçons, nous nous contentons d'être bêtement des garçons et nous oublions facilement de faire notre lit avant de partir en classe.

1962 a commencé avec des jours gris et froids. Tout le monde sent que la nouvelle année n'apportera pas que des joies et qu'elle sera un tournant décisif. Les actions de l'O.A.S., de plus en plus audacieuses, de plus en plus meurtrières, sont le signe du degré de folie et de désespoir qu'a atteint la population européenne; le terrorisme est à son paroxysme. Trop de violences ont séparé les deux communautés pour qu'une coopération dans la paix soit possible. Les Européens qui ne croient plus au destin de l'Algérie française veulent rejoindre la métropole, mais l'O.A.S. s'y oppose avec fureur et fait tout pour entraver les départs. Un voisin dans la rue Lapasset, M. Vernaz, connu pour ses opinions favorables à l'indépendance de l'Algérie, a été retrouvé un soir abattu de trois balles de revolver à vingt mètres de chez nous.

Le mois de janvier s'est ainsi écoulé lentement. Le soir, quand je rentre du lycée, je vois mon père dans son pyjama et son éternelle robe de chambre bordeaux qui promène ses maux de tête d'une pièce à l'autre. Aucun d'entre nous n'est habitué à ce nouvel aspect de sa présence. Il nous fait pitié.

Le 3 février, vers sept heures, après le départ du médecin venu ausculter mon père et resté plus longtemps qu'à l'accoutumée, ma mère nous réunit, Evelyne, Maryse et moi, dans la salle à manger, laissant mon père se reposer dans sa chambre. Elle nous dit de nous asseoir. Son ton grave nous fait sentir qu'elle veut nous apprendre quelque chose d'important.

— Mes enfants, j'aimerais que Maurice soit là pour entendre ce que je vais vous dire, mais cela ne fait rien, je lui en parlerai dès demain matin.

Maurice, dont l'emploi du temps est de plus en plus occupé par des séances à l'hôpital, est de garde cette nuit. Elle continue :

– Papa ne va pas bien. Le médecin l'a trouvé nerveux et pas reposé du tout. Son cœur bat trop vite avec souvent des palpitations et il craint qu'il ne tienne pas le coup.

– Mais alors, que faut-il faire ? demande Evelyne d'une voix inquiète.

– Le docteur dit qu'il faut qu'il aille passer sa convalescence en France, que c'est la seule chose à faire.

– Il veut qu'il parte tout seul ?

– Non, il n'en est pas question, comme il n'est pas question que je l'accompagne en vous laissant, vous, ici. Non, il n'y a qu'une solution : nous allons tous partir en France.

– Partir ? s'exclame Maryse, comme ça, en plein milieu de l'année scolaire ? Et pour combien de temps ?

– Pour toujours , ma petite fille, répond calmement ma mère.

Je revois Wilfred me dire que nous aussi nous quitterions un jour l'Algérie.

– Tu veux dire qu'on va aller s'installer en France, quitter l'Algérie pour toujours ?

– Oui, mon fils. Nous ne pouvons pas faire autrement si nous voulons qu'un jour papa ait une activité normale; il faut lui redonner sa santé. Même si ce départ ne se fait pas de gaieté de cœur.

– Et... il est d'accord ? questionne Evelyne, qui n'arrête pas de croiser et décroiser les bras.

– Oui. Maintenant, oui. Au début, il ne voulait pas admettre cette idée. Vous savez, il est encore plus que moi attaché à l'Algérie et je crois que française ou arabe elle serait restée son pays. Cela fait plusieurs jours que j'essaie de le convaincre. Enfin, ce soir, nous lui en avons reparlé avec le médecin, qui lui a volontairement fait un peu peur en insistant sur la nécessité de rétablir sa santé hors d'un climat de guerre, et papa a accepté. Mais il veut que nous partions tous avec lui, en même temps que lui.

Ces nouvelles perspectives me donnent des fourmis dans les jambes; je me lève, prends une pomme dans le compotier, me rassois, me lève à nouveau et dis :

– Cela va soulever plein de problèmes !

– Cesse de t'agiter comme ça ! Quels problèmes ?

– D'abord Maurice ne voudra pas partir, j'en suis sûr, il voudra terminer son année de médecine.

– S'il ne veut pas, répond ma mère, je ne le

forcerai pas. Il est assez grand pour savoir ce qu'il veut. Et puis il faudra bien quelqu'un ici pour garder l'appartement et nous expédier le mobilier en France. Je sais que je serai follement anxieuse, mais je lui fais confiance, il sera raisonnable et ne prendra aucun risque.

— Et l'O.A.S. ? Tu crois qu'ils nous laisseront partir comme ça ? Tu as lu ce qu'ils disent dans leur dernier tract : « Ceux qui veulent quitter l'Algérie sont des traîtres et nous saurons les châtier » ? Tu veux qu'ils nous plastiquent la veille de notre départ ?

— Effectivement, c'est peut-être avec eux que nous aurons les plus grosses difficultés, mais le Dr Morin y a pensé. Il m'a fait un certificat où il affirme que la vie de votre père est en danger s'il ne passe pas sa convalescence en métropole. J'irai voir M. Garcia. Il nous aime bien. L'autre jour, il m'a assuré que nous pouvions compter sur son aide. Comme il fait partie de l'O.A.S., j'espère qu'il pourra intercéder auprès d'un responsable et nous obtenir une autorisation de départ.

— Mais quand veux-tu que nous partions ? Pas demain, comme ça, sur le premier bateau ?

— Mais non, Lucien, ne dis pas de bêtises. Je

ne sais pas, dans un mois, dans six semaines. Il faudra bien le temps de préparer tous nos bagages et d'accomplir toutes les formalités.

– Dis, maman, demande Maryse sur le point de pleurer, nous n'irons plus à la plage ?

– Ne t'inquiète pas, ma fille, il y a d'autres plages de l'autre côté de la mer et tout aussi belles. Nous irons d'abord à Marseille et puis là-bas nous aviserons. Dès que papa ira mieux, nous y verrons plus clair. En tout cas, j'ai voulu vous prévenir, mais il faut n'en parler à personne, ni à vos camarades ni à la famille. Du moins tant que nous ne sommes pas certains de pouvoir annoncer notre départ sans risque de représailles.

Dans la rue, j'ai croisé René. Je l'ai vaguement salué sans lui parler. Il vaut mieux qu'il ne sache rien, je préfère le laisser dans ses rêves de baudruche.

Maintenant je comprends qu'il nous faut partir. Bien sûr, c'est l'état de mon père qui est la cause immédiate de notre départ. Mais sans cela serions-nous partis ? Imaginons la paix revenue en Algérie et les armes enter-rées, les passions pourraient-elles dispa-raître ? Combien de familles arabes ou euro-

218

péennes ont eu un des leurs tué ou blessé et en voudront toujours aux autres ? Je sais que le fossé est devenu immense et qu'il va falloir toute la largeur de la Méditerranée entre les deux communautés pour qu'elles oublient. Y parviendront-elles ? Mon père oubliera-t-il qu'il a failli mourir, lui qui remercie Dieu chaque jour de lui avoir sauvé la vie ?

Je m'apprête à quitter le cadre de mon enfance, les lieux dans lesquels j'ai vécu depuis toujours. Les reverrai-je un jour ? Que me seront-ils dans dix ans, dans vingt ans ? Aurai-je même le droit de revenir dans une Algérie indépendante ? N'est-elle pas pourtant ma terre, puisque j'y suis né ? Je tente de voir mon avenir tout proche, d'imaginer ma vie en France, dans ce pays que je connais si peu. Mais là aussi c'est le trou noir. Une page se tourne, mais je ne vois pas encore celle qui vient.

Dès le lendemain, ma mère est descendue voir M. Garcia quand il est rentré de son travail. Elle y est restée longtemps, presque deux heures. Pourquoi devait-elle parlementer autant ? Lorsqu'elle remonte, nous l'attendons, anxieux.

– Ouf, ça n'a pas été facile, soupire-t-elle.

Ses yeux sont rouges. A-t-elle été obligée de pleurer pour montrer la nécessité de notre départ ? Si c'était vrai, ce serait trop injuste. Mais aucun de nous ne le lui demandera, ni même mon père qui veut pourtant qu'elle nous raconte son entretien.

– Au début, il ne voulait rien entendre et répétait tout le temps que nous devions rester par solidarité avec les autres. Je lui ai montré le certificat du médecin. Heureusement que sa femme était là, elle a plaidé notre cause et ne lui a pas caché qu'elle aurait fait la même démarche s'il avait été lui aussi blessé au cours d'un attentat. J'ai même été forcée de lui dire que nous comptions revenir quand tout irait mieux et, pour preuve, j'ai ajouté que Maurice nous attendrait. Pourvu qu'on ne s'en prenne pas à lui, mon Dieu !

– Tu sais, commente mon père, la situation a suffisamment évolué pour qu'on puisse déduire que d'ici quelques mois tout le monde aura quitté l'Algérie de gré ou de force. Maurice nous rejoindra dès qu'il pourra.

– Enfin, au bout d'un moment, il a dit oui. Il nous donnera un papier dans trois jours, une autorisation écrite signée d'un chef de l'O.A.S. d'Oran. Il m'a prévenue qu'il nous faudra le présenter à la compagnie maritime pour prendre nos billets de bateau. Dans quelques semaines, cet enfer prendra fin.

Tout le monde est soulagé. Le plus dur est accompli. Il reste encore beaucoup de choses à faire, les malles à remplir, les dossiers à préparer, mais le plus gros obstacle est franchi.

Ma mère veut que nous continuions à aller en classe jusqu'au bout, elle préfère avoir les mains libres et pouvoir se déplacer sans problèmes. A mon père, qui ne peut lui être d'aucune aide, ma mère demande de rassembler tous les dossiers qu'il a accumulés depuis des années et d'écrire aux gens de la famille pour leur annoncer notre départ...

Nous partons le 3 mars au matin...

Table des matières

Cet
ouvrage,
le cent septième
de la collection
CASTOR POCHE,
a été achevé d'imprimer
sur les presses de l'imprimerie
G. Canale & C. S.p.A.
Borgaro T.se - Turin
en février
1996

Dépôt légal : janvier 1985.
N° d'Édition : 1817. Imprimé en Italie.
ISBN : 2-08-161817-6
ISSN : 0763-4544
Loi n° 49-956 du 16 juillet 1949
sur les publications destinées à la jeunesse